LE TRIPODE

Littératures ■ Arts ■ Ovnis

LE SILLON

Valérie Manteau

LE SILLON

LE TRIPODE

Savez-vous ce que cela représente
pour un homme d'être enfermé
dans l'inquiétude d'une colombe ?

Hrant Dink (1954 - 2007)

Sur la petite place avant les restaurants il y a un bâtiment, on dirait une église. J'y suis, je t'attends devant – c'est fou je passe ici tous les jours et je n'avais jamais remarqué ce clocher. L'essayiste Ece Temelkuran dit que notre aveuglement sélectif est la maladie de la Turquie contemporaine, me voilà donc amnésique comme une Turque. D'après elle, si on demande aux passants qui a construit toutes ces églises en plein cœur des villes d'Anatolie, saisis par l'inquiétante étrangeté de leurs silhouettes, ils botteront en touche : elles sont quasiment préhistoriques ! Sainte-Euphémie-de-Chalcédoine : le nom est presque illisible, mais sans doute pas préhistorique. En attendant Sara, je franchis le seuil pour en savoir plus, mais à l'intérieur, tout est en grec. J'interroge Internet. Wikipédia ne s'ouvre pas, bloqué depuis des mois par le gouvernement. D'autres sites contournent l'obstacle. Fondée en 685 avant J.-C. par des Grecs sur la rive sud du Bosphore, Chalcédoine vit naître sa cadette et concurrente Byzance, de l'autre côté du détroit. Les deux cités prospérèrent. Chalcédoine fut successivement mégarienne, perse, macédonienne, bithynienne, romaine, re-perse, re-romaine puis arabe, avant de passer aux mains des Ottomans plus d'un siècle avant que tombe à son tour Constantinople. Chalcédoine garda son nom grec et sa population mélangée, latine, arménienne, juive, jusqu'au début du XXe siècle. Après la dislocation de l'Empire, les Grecs expulsés en application du traité de Lausanne fondèrent en Grèce deux Néa Chalkidona orphelines : la Chalcédoine du Bosphore devint Kadıköy, « le village du Juge », intégré en 1930 à la nouvelle municipalité d'Istanbul. C'est ainsi qu'à l'entrée de son marché cohabitent aujourd'hui encore une église grégorienne arménienne et cette église orthodoxe grecque qui porte le nom d'une martyre locale du IIIe siècle, Euphémie. Décapitée, ou jetée aux fauves, ce n'est pas clair. Chaque 16 septembre, du sang est réputé s'écouler de son caveau. Les Perses tentèrent bien de brûler les reliques pour mettre fin au phénomène, mais ils n'obtinrent que davantage de sang et la sainte, intacte, aurait même accompli un second miracle quelques siècles plus tard.

Quand on s'est connues, Sara habitait ce bastion gauchiste où je vis désormais. Elle louait un grand appartement où se succédaient colocataires de court et moyen termes, locaux et étrangers, pratique encore si commune en ville, les loyers stambouliotes et les salaires turcs ayant depuis longtemps divorcé. Malgré tout, la Turquie hissait avec panache – et quelques hoquets – la tête hors du marasme économique du début des années 2000. L'Istanbul laïque se balançait entre deux bords et délaissait de plus en plus volontiers la rive nord du Bosphore, l'européenne engluée dans sa nostalgie, pour se saisir de l'asiatique où les cafés, les galeries, les tatouages fleurissaient. Les soirs d'été, la bière à la main, on s'installait sur les rochers de la promenade en bord de mer pour narguer en face, dans le soleil couchant, la vieille Byzance, Sainte-Sophie et la Mosquée bleue abandonnées aux touristes. On aurait dû se rappeler qu'ici parfois le ressac fait des dégâts. Pas pour rien que Zeus a cru utile de clouer Prométhée pour l'exemple à un mont du Caucase, probablement voisin de celui sur lequel Noé dans son arche se l'était tenu pour dit, en contemplant l'humanité pécheresse d'Anatolie emportée par les flots.

Printemps arabes au sud, Indignés au nord, la Turquie des années 2010 vacille sur la place Taksim, théâtre d'une spectaculaire flambée de révolte contre le gouvernement conservateur dont on retiendrait un nom : l'insignifiant parc Gezi, gravé dans le marbre du cimetière arménien qui le précédait, entré dans l'histoire pour avoir été vendu aux promoteurs par Recep Tayyip Erdoğan, ancien maire d'Istanbul, Premier ministre, qui se préparait à être élu président de la République. Les commentateurs internationaux et la plupart des locaux, qui avaient complaisamment encouragé Erdoğan quand il se disait sur la voie de la démocratie, hésitaient encore à retourner leur veste devant la brutalité de la répression à Gezi. Courte nuit pour le Grand Soir ; un adolescent atteint par une grenade lacrymogène lancée par la police fêtera ses quinze ans dans le coma avant de succomber. Erdoğan, ivre de vengeance et bien décidé à mater les frondeurs, fait huer par ses partisans la famille de la victime. Le *sitting* pacifiste qui s'organise spontanément en protestation est violemment attaqué par la police. En 2013, l'espoir de faire basculer le pays dans la démocratie s'étouffe dans le gaz lacrymogène ; et depuis 2015, c'est de nouveau la guerre. Rupture du processus de paix au Kurdistan, la Syrie est à feu et à sang, reprise comme en quarante de la politique la plus conservatrice au sommet de l'État. Sara, fraîchement diplômée en thérapie des syndromes post-traumatiques, a quitté Istanbul pour s'installer à la frontière syrienne, avec les réfugiés d'un conflit dont on commençait à comprendre qu'il allait durer, et s'étendre ; c'était il y a deux ans à peine. Deux ans je t'assure c'est la psy qui parle là, c'est trop. Je deviens folle à Gaziantep. C'est simple d'ailleurs, je passe mon temps à renvoyer chez eux des travailleurs humanitaires qui craquent après six mois, un an, je suis hyper performante pour déceler les premiers signes du burn-out chez les autres et devine quoi ? les premiers signes et les suivants je les ai tous. Je pleure tout le temps même quand on fait l'amour c'est plus possible – pardon *habibi* mais c'est vrai, je peux quand même le dire non. À côté d'elle, Ibrahim a sursauté mais il ne moufte pas, il écoute les yeux ailleurs et un sourire vague, poli, je me demandais justement s'il comprenait l'anglais, s'il suivait la conversation. Je ne sais pas trop pourquoi elle a tenu à me le présenter. Je me demande si c'est à cause de lui qu'on est en train de boire du thé dans un rade qui ne sert pas d'alcool. J'espère qu'ils n'ont rien à annoncer. Je me tourne vers lui quand je pose des questions sur leur vie à Gaziantep, il a l'air de vouloir pondérer un peu mais Sara lui coupe la parole et en rajoute une couche en parlant beaucoup plus fort que nécessaire, les Turcs, les Kurdes, les Syriens, les travailleurs pseudo-humanitaires, ils peuvent tous crever dans leur croissant fertile de merde : cette terre est maudite, sauve qui peut. Remarque, je me demande où on pourrait aller. Pas en France en tout cas, merci, ça n'a pas l'air de tourner bien rond chez vous non plus. L'hypocrisie européenne me dégoûte. Les États-Unis, plutôt me pendre. Faudrait que je me trouve un Canadien… mais c'est plus fort que moi – elle a l'air désolée et Ibrahim compatit – j'aime les hommes d'ici. Ibrahim sourit. J'espère pour lui qu'il aime les montagnes russes parce qu'elle ajoute en sortant une clope, on se demande bien pourquoi, d'ailleurs.

Elle sort fumer sa cigarette et nous laisse en tête-à-tête avec Ibrahim. Je ne sais pas ce qu'il sait d'elle, de moi, que nous avons été amantes, il demande si j'ai quelqu'un dans ma vie à Istanbul. En 2013 quand j'ai débarqué chez Sara je n'avais pas un sou, pour voyager je me faisais héberger chez des amis, des amis d'amis ou, quand je n'avais aucun contact, grâce à des sites communautaires pour voyageurs à la coule. C'est sur un site de ce genre que j'ai connu Sara. Par petites annonces, presque. Une psychologue *queer*, engagée dans les mouvements sociaux et pour la démocratisation du pays, c'est tout ce que je savais et c'était largement suffisant pour me donner la meilleure porte d'entrée possible à Istanbul dont je ne savais rien. Pour moi la rive asiatique devait être une sorte de quartier chinois. Elle a ri, on ne vous apprend pas à l'école que de ce côté du Bosphore c'est l'Asie ? Pourtant si, on avait déjà révisé ces subtilités géopolitiques censées prouver que la Turquie n'avait rien à faire dans l'Union européenne. Sur le chemin pour arriver chez elle, venant de l'aéroport, il fallait prendre un bus, descendre sous un pont de l'autoroute et puis marcher dans des quartiers résidentiels, tourner troisième à droite, quatrième à gauche, après l'épicier descendre les escaliers puis à droite, et voilà, sonner au numéro 34. J'avais tout bien noté dans un carnet et oublié le carnet à Marseille, je me souvenais simplement que le nom du pont en question c'était quelquechose-köprüsü ; sauf que *köprüsü*, en turc, ça veut dire pont. Le chauffeur du bus et un aimable passager qui me servait d'interprète, hilares, ont appelé Sara pour se faire expliquer où j'allais et tout le bus a fait la haie d'honneur quand on est enfin arrivés au fameux pont. J'avais gagné au passage la compagnie d'un papi qui tenait à trimballer ma valise dans les escaliers et m'a laissée uniquement quand il a été certain que je n'étais plus perdue, je ne savais rien dire en turc, même pas merci, et j'avais peur qu'il devienne envahissant, mais il ne voulait rien. Juste que mon séjour commence bien. Seule dans cette petite rue, au pied des escaliers fraîchement peints aux couleurs de l'arc-en-ciel, les couleurs de Gezi, avec ma valise, je me suis demandé ce que je foutais là. Trois ans plus tard, j'habite quelques rues plus bas, je connais ces escaliers par cœur, ils sont, après des mois et des mois de ping-pong entre les activistes de la peinture arc-en-ciel et la police, redevenus gris, et je ne peux plus rappeler ma première sensation d'Istanbul. Cette nuit passée chez Sara est auréolée de la douceur rétrospective des premières rencontres amoureuses. Moi qui n'étais venue à Istanbul ni pour faire la révolution ni pour picoler dans un fauteuil, qui avais prévu d'aller visiter Sainte-Sophie le lendemain à la première heure, je découvris dès mon arrivée les soirées qui s'allongent enfumées au rakı, à refaire le monde avec mes hôtes. Sara m'enveloppe. Au petit matin je me réveille couverte de boucles rousses.

À propos de Taksim, épicentre des manifestations, la romancière Aslı Erdoğan écrit : « La place Taksim est à nous, ceux qui y sont morts à tout le monde... chaque fois que nous marcherons vers cette place méconnaissable, malgré les matraques, les canons à eau, les lacrymos, chaque fois que nous en prendrons le chemin, elle sera *à nous.* » Aujourd'hui interminablement en travaux (personne ne comprend bien pour quoi faire, et tout le monde s'en fout), j'ai l'impression qu'elle appartient davantage aux pigeons qu'à nos souvenirs. Il y avait des tentes partout, de part et d'autre d'une allée baptisée

Hrant-Dink, du nom d'un journaliste arménien assassiné quelques années auparavant, adopté comme figure tutélaire par les manifestants qui occupaient la place pour empêcher la destruction d'un des rares espaces verts de la ville. Au milieu du cordon de flics, des musiciens, des artistes, des jeunes et des vieux en tous genres, des babas cool, des bobos, des cols blancs, des islamistes. Un groupe de blues oriental dont la chanteuse sanguine, tête demi-rasée, ambiguë, et l'accordéoniste barbu complètement possédé, restent inoubliables. Une jeune femme un peu à part organisait des performances, debout sur un escabeau, sculpturale, un drapeau turc dans chaque main les bras tendus, elle avait l'air, sous son casque de cheveux noirs, de commander à l'atterrissage de l'assemblée qui planait bien haut entre deux descentes de police… Un jour, gazée en pleine face, évanouie là, et plus jamais revue sur le campement. Débordements de violence et de solidarités. Quand la police chargeait, c'était la débandade dans la rue piétonne, la foule s'y précipitait et tous les commerces ouvraient leurs portes pour laisser les gens se mettre à l'abri – tous, sauf la chaîne de glaciers Mado qui, barricadée derrière ses rideaux de fer, s'assurait la haine durable de la génération Gezi. Il y avait surtout ce type repéré à plusieurs reprises, grand brun tatoué, délicat, serviable, souriant, très souriant aux femmes en général et à moi un peu plus particulièrement. Suffisamment pour que je vienne l'air de rien me balader dans cette petite rue où il installait, avec quelques amis, un squat dans un magasin de fringues réquisitionné par les manifestants. Sara se souvient bien du lieu – c'est un journal maintenant, non ? – mais pas du garçon. Ça lui paraît loin, une autre vie. Tout le monde veut partir tu sais, Istanbul c'est l'enfer, je ne reconnais plus le quartier et tu as vu les loyers ? Nous, on est un peu bloqués, Ibrahim avec son passeport syrien ne risque pas d'aller bien loin – et encore, il a un passeport, c'est déjà ça… Mais toi, quelle idée de venir poser tes valises ici. Je hausse les épaules. J'ai arrêté de travailler et j'ai pensé que le chaos stambouliote m'occuperait l'esprit. Et puis il y a ce garçon… Sara me coupe, tape du poing sur la table et fait sursauter Ibrahim, ne me dis pas que tu t'es maquée avec un Turc !

Alors, quelles sont les nouvelles du pays des droits de l'homme ? Je me demande si c'est ironique, mais non. J'essaie de continuer à lire un peu la presse française, qui paraît outrageusement futile et autocentrée quand on ne vit pas dans Paris intra-muros, quand on est par exemple sur un balcon surplombant Istanbul. Qu'est-ce qui fait la une aujourd'hui ? On a deux ministres qui ont démissionné la semaine dernière, économie et culture. Grosse crise politique, scission de la gauche, *drama*. Et maintenant on apprend qu'ils sont en couple et qu'ils ont choisi comme premier geste politique après leur révolution de palais d'aller se prendre en photo en amoureux à San Francisco.

Voilà qui le scotche, sans blague ? Je lui montre la photo des deux ministres prenant des selfies sur une colline avec vue sur la mer. Il plisse les yeux, visiblement déçu, ah mais j'ai cru que c'étaient deux hommes. Ç'aurait au moins été un tout petit peu intéressant. Il me cite Nietszche, ce pédant : « Qu'est-ce que le journalisme, la fausse alerte permanente. »

Sérieusement, que représente encore la France dans le monde aujourd'hui. Les droits de l'homme ? On est en pleine décadence, lobotomisés par la télé, la peur, le kitsch partout tout le temps, on est un pays mort de chez mort du point de vue culturel et politique, et il y a encore des gens qui regardent de notre côté pour savoir d'où pourrait venir une grande et belle voix humaniste ?

Il roule soigneusement ses cigarettes, se mord les lèvres d'impatience de fumer en m'écoutant, son pied bat le rythme d'une chanson qui doit passer dans son esprit en arrière-plan de mon bavardage. Il est tôt et je suis encore en pyjama, le café filtre sur la table, parée à prendre encore mon temps avant de vraiment commencer la journée – pour laquelle je n'ai pas grand-chose de prévu, de toute manière. Après avoir lu la presse je fais ma leçon quotidienne d'Assimil *le Turc*, je révise sans progresser des dialogues tout faits où l'on apprend à s'excuser de n'avoir pas préparé le dîner pour son mari et à ne pas s'énerver dans les embouteillages ; vu que je ne cuisine ni ne conduis, je ne retiens rien. J'aurais bien aimé être capable de lire au moins Twitter, qui est à défaut de presse libre la seule source d'information correctement alimentée dans ce pays. Il a déjà ses baskets aux pieds et les bagues aux doigts, il range la première cigarette bien roulée derrière son oreille, qu'il fumera avec le vendeur de thé en bas avant de sortir sa moto du local qui sert de garage, une BMW hors de prix qu'il s'est offerte sur un coup de tête, un caprice de gamin vexé que sa révolution n'ait pas marché. Il prépare une autre cigarette pour tout de suite, après quoi il partira rejoindre le Muz, cet ancien squat qui abrite aujourd'hui un journal satirique.

Qu'est-ce qui fait que la France est encore un symbole si important que le monde entier s'est levé pour *Charlie*. Je prononce *Charlie* avec l'accent français, le *ch* discret et le *a* ouvert, *Charlie* que la plupart des Turcs appellent simplement *Hebdo*. Il fait la moue. Ça n'avait rien à voir avec la France. Pas sûr. Mais donc, quelle réponse devrait-on apporter à cette attente ? Il laisse passer un temps, vérifie qu'il a ses clefs et son briquet en poche, se lève. Que peut-on faire pour la liberté, pour l'art, pour l'amour ? C'est une question simple, non.

Sara est rentrée à Gaziantep avec Ibrahim, on a à peine eu le temps de passer un moment ensemble. Elle décrète qu'il faut qu'on se cale des rendez-vous téléphoniques réguliers, commençant maintenant. Elle s'inquiète parce que j'ai eu le malheur de dire que depuis mon arrivée en Turquie, j'ai échangé la psychanalyse contre des cours de yoga et que je ne m'en trouvais pas plus mal ; à part, bien sûr, les cauchemars récurrents, les bouffées d'angoisse. Et les voix aussi. Ne jamais dire, même à une amie, surtout pas à une amie psy, qu'on entend des voix. Je veux dire que j'écoute des voix dans ma tête Sara, c'est rien du tout, comme une bulle avec de la musique. Parce que je suis un peu seule la journée. Et il faut bien que quelqu'un me parle ma langue maternelle. C'est en français alors, tu sais qui c'est ? Ça dépend : des gens qui existent ou qui n'existent pas, des morts, des livres aussi, je me récite des textes. Et tu penses que tu fais vraiment bien la différence entre tes voix et la vraie vie ? Oui-oui. Elle ne va pas commencer à me fliquer, elle. Tu as signé la pétition pour la fille d'Adana ? Je t'envoie.

Aussitôt dit, je vois l'e-mail arriver. Un slogan avec point d'exclamation « Il faut libérer Çilem ! » et en dessous en lettres capitales une phrase en turc que je n'arrive pas bien à comprendre, déjà plus de 100 000 signataires. Regarde ce visage. Les cheveux décolorés, les sourcils très noirs et immenses, arqués, l'expression complètement fermée, la tête haute et une saisissante dureté, un défi. Encadrée par deux policiers, les menottes aux poignets. Un T-shirt sur lequel est écrit en anglais *Dear past, thanks for all the lessons*. Je déchiffre laborieusement l'argumentaire en turc en même temps que Sara m'explique : neuf ans de violences conjugales, elle a tenté en vain d'obtenir une protection de la part de la police, et finalement elle a utilisé le pistolet qui la menaçait pour abattre son mari. À un micro qui lui demandait si elle regrettait, elle a simplement répondu : « Pourquoi faut-il toujours que ce soient les femmes qui meurent ? Les hommes peuvent mourir un peu aussi. » Épatante proposition. Sara se marre, ce pays rend les gens fous. Être préalablement altérée ne préjuge de rien, tu peux très bien t'en sortir mieux que d'autres, dans le contexte. Mais on n'est jamais à l'abri d'un feu d'artifice. En tout cas, le T-shirt m'est sympathique. Et porté comme Çilem avec l'implacable fierté qui signe le désespoir consommé, le passage à l'acte. En plus petit en dessous, on lit quand même : *Dear future, I am ready*.

J'ai une question – je le dérange sur son lieu de travail, il ne répond pas mais se tourne vers moi, comme toujours, la porte est ouverte pour mes lubies jour et nuit malgré une légère, à peine perceptible impatience, début de lassitude, un air qui demande si c'est bien le moment, je le sens mais comme je ne sais pas m'arrêter quand il faudrait, je m'installe au comptoir. Il continue ce qu'il était en train de faire, trier des factures ou quelque chose dans le genre pendant qu'Anna attrape une tasse, si je veux un café, je fais oui de la tête – à ton avis, si tu devais donner juste une raison, intuitivement, de *pourquoi Charlie* ; tu dirais laquelle ? Pourquoi ça concernait tout le monde ? Oui. Liberté d'expression. C'est n'importe quoi je dis, il y a eu dix cas précédents qui auraient dû être beaucoup plus fédérateurs. Par exemple ? Hrant Dink. Qui ? Je n'arrive même pas à prononcer correctement son nom. Hrant Dink, le créateur du premier journal bilingue turc-arménien *Agos*, charismatique et infatigable promoteur de la paix, assassiné par un nationaliste en pleine rue à Istanbul en 2007. Tout le monde connaît Hrant ici, on l'appelle simplement par ce prénom qui m'est si difficilement articulable. Il aurait pu devenir un symbole universel, non ? Pourquoi à ce moment-là, le monde entier ne s'est-il pas levé pour la liberté d'expression. Ça aurait eu plus de poids que de manifester contre Daech ; Erdoğan au moins, jusqu'à preuve du contraire, on peut lui parler. Il hésite, me remercie du regard, ironique, d'avoir la bonne idée de venir discuter des mérites comparés de *Charlie* et de Hrant Dink, de Daech et d'Erdoğan, en pleine heure de pointe au comptoir. Et si, tente-t-il subtilement, tu parlais de tout ça avec Georgi. Il a fait quelque chose à la mémoire de Hrant il me semble. Au lieu de me traîner dans les pattes.

Georgi est artiste. Je ne connais pas vraiment son travail, à part la toile qui trône au-dessus de notre lit, une peinture à l'huile et collage de journaux représentant Staline qui joue du violon avec une faucille. J'aime moyennement ce truc, mais personne ne me demande mon avis concernant la décoration de l'appartement. Georgi est bulgare, parle un peu français, bien anglais, idéologiquement russe et parfaitement turc en plus de sa langue maternelle. Autant que je sache, il s'en sort bien, très bien même si j'en crois le temps qu'il consacre à prendre le petit déjeuner aux terrasses de Cihangir. Il faut dire que le petit déjeuner turc est une institution. Particulièrement réputé quand il est agrémenté des fromages de Van, une ville de l'Est, dernière étape en territoire turc de la route de la soie. Je suis curieuse de cette œuvre faite pour Hrant Dink. Il est à sa table habituelle, en tête-à-tête avec une jeune femme que je ne lui connais pas. Georgi est un incorrigible séducteur. Sachant se mettre à la merci de toutes sans aucun complexe ni rien à perdre. Ne cachant jamais être par ailleurs fou amoureux de sa femme. Pourquoi le cacher de toute manière, les filles s'en fichent. Au contraire, certaines y voient un défi, d'autres une marque d'honnêteté – je t'assure, il n'y a pas une fille sur dix qui trouve rédhibitoire que je sois marié. Georgi me fait asseoir en même temps qu'il commande un verre de thé, il pose devant moi les coupelles de fromage et de confiture, un peu de concombre aussi. Je dis que je me suis trouvé une nouvelle occupation, j'ai décidé de m'intéresser au cas de Hrant Dink. Évidemment il me fait répéter H-rant-Din-k lui aussi, je me demande si ce n'est pas pour cette bête raison de *h* expiré suivi d'un *r* imprononçable que son nom n'a pas fait le tour du monde. Pardonne-moi de te dire, ma chère, qu'il y a des noms qui font le tour du monde sans passer par Paris. Non il ne l'a pas connu, vu à la télé bien sûr, l'homme qu'on aurait tous aimé avoir comme ami, comme grand frère, comme président. Il voit de quelle œuvre à sa mémoire je parle, mais ce n'est pas lui qui l'a conçue c'est Erdağ Aksel. La fille en face sait qui est Erdağ Aksel. Un des signataires de l'Appel au pardon pour la « grande catastrophe » arménienne, demandant la fin du négationnisme d'État en 2008. Un geste symbolique inédit, qui a suivi l'assassinat de Hrant et fait sortir du bois nombre d'intellectuels, d'auteurs, d'universitaires turcs pour tenter de briser ce tabou qui venait encore de tuer, près de cent ans après le million et demi de morts du génocide arménien.

Georgi explique à sa compagne que j'ai déjà commis un livre, une sorte d'inventaire des manières de se suicider, très drôle – la fille a l'air un peu perplexe – et me dit, réjoui, tu vas faire pareil alors avec nous ? Une grande galerie des assassinats politiques ! T'en as un qui a explosé dans sa voiture piégée en 1993, tu te souviens, il demande à la fille qui fait oui de la tête mais ne dit plus rien, Uğur Mumcu. Un kémaliste. Il y a une plaque à Beşiktaş. Et celui qui est mort en bas de chez toi, comment s'appelait-il ? Celui qui est mort pour une boule de neige. Georgi claque des doigts, agacé de ne pas retrouver le nom, il n'y a que le nom du sculpteur qui a fait le mémorial qui revient. La fille connaît le sculpteur, si je comprends bien la cage à oiseaux qui est au coin de ma rue est donc un mémorial. Le type était journaliste et militant, il était à Gezi d'ailleurs. Il faisait une bataille de boules de neige dans la rue, il a cassé une vitrine, tout le monde s'est énervé et il a été poignardé. Il est mort en disant : Faites que ce soit un rêve. Nuh Köklü ! Voilà son nom. Je note au cas où mais je reviens à Hrant, à cette œuvre d'Erdağ Aksel. Aksel a dessiné la sculpture qui est remise tous les ans, comme récompense, par la Fondation Dink pour honorer des militants qui se sont distingués dans la défense des droits de l'homme, la liberté d'expression, le dialogue entre les peuples. Je m'étonne qu'il existe une fondation ayant pignon sur rue et Georgi dit, mais heureusement que ce pays est capable d'avoir un peu de mémoire sinon on serait quoi, la boîte de nuit du Proche-Orient et c'est tout ? J'acquiesce comme si c'était évident, mais je pense à la phrase de l'écrivain Murat Uyurkulak, « Si nous n'avions pas de mémoire, comment la peur se perpétuerait-elle ? ». Georgi m'emprunte mon carnet et sort un feutre de sa poche, une grande poche à crayons dans son pantalon militaire, il trace un H à empattement, le bas de la lettre est plus large que le haut, comme si la lettre était couchée, il demande si je connais cette photo de Hrant, celle prise juste après son assassinat, le corps au sol sous un drap blanc, seules les chaussures dépassent et on voit qu'il y a un trou dans la semelle droite. Pas besoin de préciser que le H qu'il dessine reprend la forme de ce corps à terre, les pieds en dedans. Le H est une pièce de métal faite sur mesure explique-t-il, incrustée dans un rectangle de bois fendu à la hache. Il tient la pièce de bois ensemble mais il laisse passer la lumière à travers la faille. Georgi me tend le croquis et il y a un blanc. Je crois que j'ai un peu plombé l'ambiance du petit déjeuner. Il ajoute, tu te rappelles cette fille qui faisait des performances à Gezi, qui a disparu du jour au lendemain ? Elle avait fait une installation pour Hrant aussi. Des phrases de lui, tracées dans de la terre pigmentée d'Anatolie. Quelles phrases ? Comment veux-tu que je me souvienne, quelles phrases.

Je trouve au Muz à mon intention une biographie de Hrant Dink dans une enveloppe avec un mot d'Anna, la serveuse : j'avais ça chez moi, j'ai pensé que ça t'intéresserait. Je prends, je ramène à la maison même si ça fait des mois que je n'ai pas ouvert un bouquin. Tant d'informations quotidiennes, le qui-vive permanent trop tendu pour pouvoir prendre le temps d'un livre. Mais me voilà en tête-à-tête avec le visage de Hrant en plan serré qui rentre à peine dans la couverture, on voit chaque pore, sourcils broussailleux, quelques fils blancs dans les cheveux, les lèvres minces qui touchent presque le nom de l'auteure, Tuba Çandar. Je le pose sur la table, je tourne un peu autour en fumant une cigarette, en préparant du thé. Je feuillette le volume. Le cahier photo, la chronologie. Mort assassiné par balle le 19 janvier 2007 devant son journal, *Agos*, à Osmanbey, quartier animé de la rive européenne d'Istanbul. Abattu par un jeune nationaliste de dix-sept ans qui a voulu débarrasser le pays de cet insolent Arménien, l'« ennemi des Turcs ». Témoignages de la famille. « J'ai vu que le boulevard était complètement bloqué, je suis sorti du taxi et j'ai couru. J'ai pensé, j'ai compris que s'il avait été simplement blessé, cela n'aurait pas créé un embouteillage comme celui-là», dit son fils. J'aurais préféré lire l'histoire de Hrant Dink comme on se raconte les nôtres : sans savoir où elles nous mènent. N'avoir pas attendu qu'elle se finisse comme ça, le corps au sol sur les dalles de ce boulevard trop familier. Court-circuitant son récit à lui, c'est celui de ses proches qui comble le vide tout juste béant, les souvenirs des uns et des autres m'attrapent par la main, le bras, la gorge. L'accumulation bégayante du même scénario, dix fois la même description minutieuse de la chose insignifiante que l'on faisait quand le téléphone a sonné, quand untel est entré dans le bureau l'air défait ; les regrets absurdes, les ironies terribles, le déni. Je sens que j'ai un tic nerveux dans la mâchoire. Ece Temelkuran raconte les cris de douleur de la femme de Dink, Rakel : « Nous vous avons fait confiance, nous sommes restés dans ce pays. Nous vous avons fait confiance ! Et maintenant ça ? » « *Nous* avons été défaits, ce jour-là, ajoute Ece pour elle-même, en plein cœur d'Istanbul, en plein jour. » Un témoin raconte que les derniers mots de Hrant furent pour le meurtrier : « Ne fais pas ça, fils, stop. » Je n'ai pas entendu la clef jouer dans la serrure ni la porte s'ouvrir, je vois d'un coup une silhouette dans l'entrée qui pose son trousseau, enlève ses chaussures, j'essaie de me donner vite une contenance mais ça ne fait qu'aggraver le problème, quand il entre dans le salon il me trouve le souffle coupé, les larmes qui coulent. Il reste interdit. Je bredouille je ne sais quoi, je tends le livre comme une explication et je le jette par terre, à ses pieds, je voudrais m'arracher les yeux plutôt qu'avoir lu ça. Dans son regard il y a une hésitation, entre l'émotion et la colère. Il ramasse le livre, repasse de la main, presque tendrement, le visage de Hrant sur la couverture froissée.

J'appelle Yemliha. À cette heure-ci je ne sais pas si elle sera encore au bureau. On ne capte pas bien dans ce musée, à cause de la cage de béton qui enserre le bâtiment, ça oblige à sortir sur les passerelles. J'appelle quand même, espérant pour elle qu'elle ne travaille pas si tard, et elle répond tout de suite, voix détendue qui indique qu'elle est seule et pas trop occupée. Elle dit qu'elle était sur le point de partir justement. J'entends le claquement de ses talons sur la rampe, le mistral qui s'engouffre dans les coursives. Yem que dirais-tu si je t'envoyais un projet d'exposition sur un journaliste arménien de Turquie assassiné à Istanbul en 2007 ? Comment te dire. Elle ne ralentit pas. C'est une blague ? Vu que ton boulot il me semblait maintenant c'était d'écrire des bouquins et que justement ça m'a plutôt l'air d'être un sujet de bouquin que d'expo, non ? Et tu penses bien que ce genre de sujet, un chrétien assassiné par un musulman, dans le climat politique actuel et juste avant les élections, tu n'as pas envie de le confier à une institution publique, crois-moi. Écris donc un bouquin sur Machin Dink, c'est une bonne idée. Ça va Istanbul sinon ? Tu te distrais bien à ce que je vois.

Elle n'a pas tort. Mais c'est nul l'écriture, on est seul face à son ordinateur toute la journée, je ne sais pas comment font les autres pour se concentrer mais moi je zone à la première occasion, je trouve toujours quelque chose à lire, vidéo à regarder, message à répondre, ce ne sont pas les sources de dispersion qui manquent. Je me demande pourquoi je tombe toujours sur les sujets les plus plombants aussi, je préférerais danser, boire, faire l'amour. « Tu crois que c'est si facile d'écrire un livre ? C'est un truc qui te pourrit l'existence », même Murat Uyurkulak le dit. Maintenant, j'ai l'œil de Hrant dans sa tombe qui me regarde du coin du bouquin de Tuba Çandar. Je dis à Yemliha que je vais lui envoyer un synopsis quand même, pour voir. C'est ça, répond-elle : fais deux cents pages et mets ton éditeur en copie.

À Kumkapı, le quartier anciennement arménien de la vieille ville qui plonge vers la mer de Marmara, les parents de Hrant Dink ont vécu quelques années dans une maison de pêcheur avec leurs trois enfants. Ça n'a pas duré. Le père était un homme bon, chacun s'accorde à le dire, mais incurable panier percé. Passant ses journées à disperser au jeu l'argent de la petite famille qui s'enfonçait dans la misère. La mère a sombré dans la dépression. Divorcer, à cette époque – 1961 – pour une famille aussi fragile économiquement et d'un milieu conservateur, était inenvisageable. Ils l'ont pourtant fait. La mère ne pouvait pas garder les enfants. Financièrement, psychologiquement, elle ne pouvait pas. Le père les a donc pris et combien de temps a-t-il tenu ? Quelques semaines, avant de ramener les trois frères (Hrant l'aîné avait sept ans), avec leurs affaires, jusque devant la porte de la maison maternelle et de leur dire d'y rester. Elle était au balcon et leur criait de rester avec leur père. Elle pleurait, elle suppliait. Ils se sont disputés, elle au balcon lui en bas, pour savoir lequel des deux n'aurait pas la charge des enfants. Et soudainement ils n'étaient plus là. Disparus. Les petits frères racontent que c'est Hrant qui a déguerpi le premier, il est parti d'un coup vers le bas de la rue, et les deux tout-petits l'ont suivi. Comment est-ce possible, trois mômes de quatre, cinq et sept ans ont passé trois jours et trois nuits dans la rue, tout seuls, avant que la police les retrouve endormis dans un panier de pêcheur. Trois gamins, même petits, dans un panier de pêcheur, je ne sais pas de quel genre de panier il pouvait s'agir. Peut-être ceux qui existent dans les légendes.

Qu'ont-ils pu faire, livrés à eux-mêmes dans ce quartier d'Istanbul, il y a plus de cinquante ans. Aujourd'hui ce ne sont pas les enfants des rues qui manquent ; ils passeraient inaperçus, sans doute. Des Roms, des Syriens. Ils vendent des mouchoirs le plus souvent, très professionnellement. Parfois même des chaussettes. Qui achète des chaussettes comme ça en pleine rue à un petit vendeur ambulant ? Pourquoi pas, remarque, ça vaut la peine, dix paires pour cinq livres. Il y a les enfants qui jouent de la musique aux terrasses des cafés. Celle-ci qu'on voit souvent avec sa petite sœur tout en paillettes roses n'a pas plus de dix ans. Elle joue de l'accordéon et la petite du tambourin, enfin on ne peut pas dire que la petite en joue mais elle a un tambourin à la main et elle est mignonne. Au parc, des garçons en bandes au milieu des familles qui pique-niquent face à la marina. Une fois, l'un de nous achète un paquet de mouchoirs pour cinq livres – les enfants n'acceptent pas l'argent sans qu'on prenne un paquet, mais cinq livres c'est trop bien payé pour un seul paquet, les autres ne l'ont pas laissé l'empocher, ça a tourné à la bagarre et puis il semble qu'ils ont oublié pourquoi ils se battaient et ils ont continué pour le plaisir. Au coin de la rue pavée, il y a ce petit qui marche à peine et sa mère assise par terre. Il joue avec une boîte à pizza qui est plus grande que lui.

À Kumkapı, aujourd'hui largement vidé de sa communauté arménienne remplacée par des générations plus récentes d'immigrés, nous sommes attablées avec Ruqia et sa sœur dans un restaurant syrien, antenne d'une célèbre chaîne familiale de Damas récemment importée à Istanbul dans les bagages des millions de réfugiés qui se sont faits à l'idée qu'ils ne rentreraient pas chez eux de sitôt, et qui ont fait de ce quartier une mini-Syrie. Un petit garçon vient nous présenter tout un panier de marchandises. Il tchatche un peu avec les filles en arabe, spontanément, sans l'ombre d'une hésitation. Comment sait-il qu'elles sont syriennes alors qu'elles ne ressemblent pas du tout aux femmes du quartier ? Ruqia me demande à quoi est censée ressembler une Syrienne selon moi, je montre les filles maquillées et voilées des tables d'à côté. Alors que Ruqia a un faux air d'Audrey Tautou, et pourrait passer pour française aussi bien que moi pour syrienne, s'il suffit d'être brune. Il me regarde avec curiosité, un peu de biais, se pensant discret, maintenant il est intrigué par la langue qu'on parle avec Ruqia, peut-être s'inquiète-t-il que je fasse capoter la vente de ses marchandises dans mon jargon. Avec une hésitation en me pointant du doigt il demande, la langue bien entre les dents qui le fait zozoter, en anglais : *Turkissssh* ? Ruqia lui répond en arabe que je suis française, il est déçu, un peu humilié parce qu'il n'a pas encore appris, comme le font tous les mômes des rues, quelques phrases dans les langues qui lui serviront à alpaguer les touristes. Elle le voit lorgner sur notre plat, lui propose de partager, il ne dit pas non, elle le sert dans une petite assiette mais il n'y touche pas, finalement elle comprend qu'il veut à emporter. Elle enrobe dans un morceau de pain. Il lui donne en échange un sucre d'orge, elle paie une livre, ils sont quittes. Elle soupire, avant chez nous il n'y avait pas d'enfants dans les rues. On ne connaissait pas ça. Maintenant regarde, tous ces enfants syriens qui sont nés ici et qui ne connaîtront jamais de pays dans lequel il n'y a pas d'enfants des rues.

À Istanbul il y a cinquante ans à quelques rues d'ici, il y avait déjà trois petits Arméniens nés en Anatolie et frais immigrés. En rentrant par la promenade le long de l'eau, on s'arrête regarder les pêcheurs à la ligne installés sur les rochers, adossés au palais impérial. Quand un poisson sort de l'eau, les chats aux aguets se précipitent pour obtenir leur part du butin. Peut-être les trois petits Dink qui sont censés avoir été retrouvés assoupis dans un panier ont-ils été nourris, comme depuis la nuit des temps ottomans les chats d'Istanbul, par la générosité des pêcheurs du Bosphore.

On est allées voir une diseuse de bonne aventure avec Ruqia après le déjeuner. Une femme magnifique, elle m'a raconté qu'elle venait de Thessalonique, qu'elle était même de la famille d'Atatürk. Elle m'a fait penser à cette gitane en mosaïque de Zeugma, vestige antique sauvé des eaux et qu'on consulte comme une oracle, au détour d'un labyrinthe du musée de Gaziantep. Joconde sans sourire, Cassandre sidérée, comme surprise, presque effrayée par quelque chose qu'elle ne peut plus dire : de la mosaïque ne restent que le regard et la chevelure, pas de bouche. Ma diseuse de bonne aventure avait elle aussi des yeux incroyables, très clairs ; bref, elle m'a dit deux choses : que mon avenir n'était pas en Turquie, et qu'elle y voyait un homme très grand, un homme d'un mètre quatre-vingt-sept – c'est précis. C'est plus grand que toi, non ? Il a un merveilleux sourire en coin. Moi je fais un mètre quatre-vingt-un. En même temps, je ne sais pas si dans le marc de café on peut vraiment bien faire la différence entre un 7 et un 1. Je demande s'il y croit, il répond qu'il a déjà du mal à croire que je suis allée avec Ruqia me faire lire l'avenir, qu'est-ce qui nous a pris. Je dis, figure-toi que Ruqia était allée se faire tirer les cartes il y a quelques années, en Syrie, et la voyante lui avait prédit, tiens-toi bien, qu'elle allait connaître le naufrage de son pays. Ça ne l'impressionne pas. Tu sais en ce moment on pourrait dire ça sans prendre trop de risques à pas mal de gens dans la région.

Et la scène du balcon avec les enfants Dink, tellement romanesque que bien que l'on doute de la véracité de certains détails (les souvenirs des petits frères semblent parfois peu assurés), on veut y croire et tout le monde s'accorde pour dire qu'elle a forgé le caractère de Hrant. Après ces trois jours de fugue, les petits Dink ont été placés à l'orphelinat arménien dont Hrant deviendra le grand frère, puis le directeur, c'est là qu'il rencontrera sa femme Rakel, elle aussi fausse orpheline débarquée d'Anatolie. Mais, il y a une autre chose troublante dans cette histoire de balcon qui n'est pas connue du tout, il me semble ; c'est que des années plus tard, alors que Hrant était adulte et jeune père de famille, sa mère s'est finalement jetée du sixième étage de leur maison. Elle s'est suicidée en sautant du balcon. Je répète pour m'assurer que la coïncidence, si c'en est une, me soit confirmée, mais je n'obtiens pas de réponse. Un peu d'impatience. Et donc ? C'est quand même frappant cet écho non. Haussement appuyé de sourcils, silence pesant. Quel écho ? Je me demande ce qui fait que le suicide est un tabou si insurmontable, mais c'est une question dont je dois bien savoir la réponse puisque je n'ose pas insister. Pour détendre un peu l'atmosphère, puisqu'il est en train de couper les fruits pour la salade de fruits, j'enchaîne en disant que c'est marrant, il y a beaucoup plus de morceaux de pomme dans une pomme que de bouts de banane dans une banane. Cette fois je l'ai flashé sur l'autoroute de la perplexité, il me regarde comme si je me foutais de lui. Mais qu'est-ce que tu racontes. Je ne sais pas, je réfléchis à voix haute. Et tu vas faire quoi de Hrant, de son suicide et de son assassinat ? Je hausse les épaules. Ça m'aide à comprendre. C'est intéressant en termes de mémoire collective, il y a quelques œuvres d'artistes turcs, celle d'Erdağ Aksel – j'en profite pour demander s'il connaît cette performance dont parlait Georgi, le texte dans la terre pigmentée d'Anatolie. Tu sais, cette fille qui faisait le contrôleur aérien à Gezi. Il hoche la tête pour dire à la fois oui mais non. Et tu penses que ça te fait du bien, de te plonger là-dedans ? Tu as vraiment envie d'histoires de suicides et de journalistes assassinés. Toute seule à ta table pendant des mois à plancher là-dessus. Comme disait Hrant – je le cite pas peu fière de l'appeler par son prénom comme tout le monde, « puisque j'écris, que j'écrive au moins ce que j'ai dans la tête ». En fait ce serait presque un sujet de B.D., tu ne crois pas ? C'est graphique cette histoire, le panier de pêcheur, le balcon. La petite salade de fruits est finie et en piochant un bout de banane il marmonne, problèmes, problèmes. Au Muz se tiennent les réunions hebdomadaires d'un journal satirique dont il connaît bien toute l'équipe, certains dessinateurs sont vraiment bons, d'ailleurs. On verra ça plus tard, maintenant j'ai juste envie de regarder tranquillement un film et dormir, dit-il. Parmi les téléchargements disponibles, il s'arrête sur une guimauve infâme avec Julia Roberts, je dis, tu plaisantes j'espère. Il claque la langue d'irritation, je demande si on peut voir le film de Fatih Akın sur le génocide arménien, il paraît que le premier mort du film s'appelle Hrant, il dit non, non non.

Je sens une distance s'installer. Des barrières de silences, des moments où il laisse la conversation en suspens et se perd en son for intérieur qui m'est de plus en plus opaque. Sans parler de ce petit détail : on ne fait plus l'amour. J'ai tenté le dîner aux chandelles, je me suis fait rhabiller, c'est quoi ces conneries on fête la Saint-Valentin maintenant ? Laisse les chandelles tranquilles, on en a besoin pour les coupures d'électricité. Je dis que la Saint-Valentin a dû être inventée pour permettre à des couples comme nous de faire l'amour au moins une fois par an. Il lève les yeux au ciel, un peu amusé quand même. Je me demande si c'est à cause de moi. Il s'agace. Ce n'est pas moi, le monde ne tourne pas autour de moi et si je commence à lui mettre la pression ça ne va pas aller en s'arrangeant. D'accord. Est-ce que ce serait plus simple si j'étais turque ? Sara qui est psy (et qui m'a pourtant prévenue du côté contre-productif de ce genre de confrontation) dit que c'est de plus en plus répandu chez les hommes d'ici, un genre de dépression nationale. L'inquiétude les gagne, depuis les dernières élections, ou depuis le naufrage de l'espoir réformateur qu'avait incarné Gezi – il y en a qui ont passé des mois et des années sans plus de libido. Ça veut dire quoi être turque, tu crois que les 50 % qui votent Erdoğan, les 10 % qui votent pour les fascistes, ont la dépression nationale aussi ? T'es ni plus ni moins turque que moi, ça ne veut rien dire, rien du tout, être turc ça n'existe pas. Et justement, on est de moins en moins nombreux à penser ça, alors tu ne vas pas t'y mettre. N'empêche, ça devient une blague, à mesure que les étrangers se font rares, que les expatriés s'en vont et que peu de nouveaux débarquent, moi au milieu de tout ça on me demande de plus en plus souvent ce que je fabrique ici. « Nous ne voyageons pas pour le plaisir, que je sache, disait Beckett. Nous sommes cons, mais pas à ce point. » Qui plus est dans un pays aux faux airs de *Titanic*. La ville se renfrogne et ses habitants perdent de leur superbe. On dirait que notre charme n'agit plus sur Istanbul, dit-il, formule qui me laisse pantoise et lui pensif, il jette machinalement par-dessus bord un bout de plâtre du balcon qui s'effrite. Notre optimisme non plus.

Jusqu'à quel point sera-t-il raisonnable de s'accrocher à notre place ici. Le Muz est une fois de plus menacé de fermeture administrative, il faut que quelqu'un aille négocier avec la municipalité qu'on les laisse tranquilles et c'est lui qui s'y colle, avec assez peu d'espoir en la bonne foi des autorités. Il y a quelques mois, ils ont fait fermer tous les commerces du passage d'à côté, des vendeurs de thé, de bijoux et même une librairie, sous prétexte qu'ils n'avaient pas de licence pour vendre de l'alcool. Or personne ne vendait d'alcool. Mais ça n'a pas suffi à débloquer la situation, tout est resté fermé le temps que les commerçants se découragent et puis miracle, un promoteur immobilier s'est présenté pour racheter le passage et maintenant on annonce l'ouverture prochaine d'un hôtel grand luxe à destination des riches touristes du Golfe. Dans ce contexte, pas sûr que le rassemblement de gauchistes et d'artistes du Muz soit dans le plan d'urbanisme de la mairie. Il s'est bien habillé, chemise manches longues cache-tatouages, chaussures. Je passe chez les flics et ensuite j'enchaîne direct au boulot, ne m'attends pas ce soir. Il fait de plus en plus souvent des horaires de nuit, à sa demande, je crois. Ou parce que les autres ne veulent plus, s'ennuient trop pour rester tard, et qu'il n'y a plus que le noyau dur des fondateurs pour tenir la baraque. Depuis combien de temps n'a-t-on pas dîné dehors. Les patrons du restaurant de mezze sous les toits nous connaissaient par cœur, ils doivent se dire qu'on a déménagé. Et regarder les restes de nos dîners rapides, frugaux, fait peine à voir. Il ramasse les assiettes, empile les verres de vin et les verres de thé, les couverts, gestes sûrs, emmène le tout à la cuisine, le pose sur le rebord de l'évier, ouvre le robinet. L'eau sort bruyamment, couleur cuivre. Il doit y avoir un truc dans les canalisations. Il reste à regarder l'eau dégueulasse couler sans amélioration, comme interloqué, trop longtemps. Il soupire, putain de tiers-monde. Il ferme le robinet et envoie valser la pile de vaisselle loin de lui, tout s'écrase par terre dans le fond de la cuisine dans un grand éclat de verre. Je le suis du regard, prendre sa veste et sortir en claquant la porte.

Je ne sais pas s'il est rentré cette nuit, s'il a dormi, peut-être pas, peut-être sur le canapé. Quand je me réveille j'entends des bruits de verre dans la cuisine. Il passe une tête dans la chambre, tu feras attention, il est en tenue pour sortir courir, il regarde à l'intérieur de la cuisine, j'ai mis ça dans le coin, il me montre le coin avec un sourire de gamin désolé, à mille lieues de son air de la veille, ne rentre pas dans la cuisine pieds nus, je dis, O.K. papa et avec un vrai sourire cette fois il prend une chaise pour barrer l'accès à la cuisine, comme si j'allais désobéir (comme si ça allait suffire à m'empêcher de passer), il revient me redire encore de faire attention, qu'il ramassera plus tard, qu'il va prendre l'air du matin il fait beau. Quand je me lève j'entre dans la cuisine, je regarde le tas de verre brisé, j'ai presque l'impression qu'il me défie, qu'il va rester là longtemps, plus longtemps que moi si ça se trouve.

« Pour aucune raison précise, juste un peu découragé. » C'est la phrase sur le tableau dans l'entrée. En 1980 – t'étais même pas née – quand j'ai publié mon livre qui a fait tellement scandale, un ami peintre m'a appelé, m'a demandé comment je me sentais. J'ai répondu, sans aucune raison précise, juste un peu découragé. Il a ri. Et quelques semaines après j'ai reçu cette toile. Jean se définit, regret et fierté mélangés, comme un vieil Arménien. Hrant, qui ne l'aura pas connu vieux, l'appelait l'Arménien de Marseille, « un fou dans mon genre », disait-il. Jean demande des nouvelles de mon amant turc et coupant court à mes complaintes pandoresques il marmonne, bon si j'avais quarante ans de moins je t'aurais bien proposé de l'échanger contre un amant arménien mais maintenant, qu'est-ce que je peux t'offrir ? Un whisky ? J'accepte. C'est une provocation, ou un test, le whisky du matin, mais à ce petit jeu là j'ai quelques billes. Il ne s'étonne pas de mon intérêt pour Hrant. Comme disait Etyen Mahçupyan qui lui a succédé à la tête d'*Agos*, difficile d'être indifférent à la chaleur de cette voix, « difficile de ne pas ressentir à quel point cet homme s'est démené pour chercher, trouver l'humanité ; à tâtons, les yeux bandés, comme dans une partie de colin-maillard ». Des personnalités comme lui, renchérit Jean, chaque peuple n'en produit qu'une par génération, et encore. C'était un être exceptionnel. Évidemment c'est pour cela qu'ils l'ont tué. Je dis que je suis en train de lire la biographie de Tuba Çandar, dont Jean semble ignorer l'existence, d'autant plus étonnant qu'il est longuement cité dedans. Ah bon, qu'est-ce que j'ai raconté ? L'orphelinat de mon père, c'est ça ? Non. Quel rapport avec l'orphelinat de ton père. Jean dit, comme si tout le monde savait ça, que son père, rescapé du génocide, a séjourné à l'orphelinat arménien de Şişli à Istanbul, avant de définitivement quitter la Turquie pour Marseille. Quand au début des années 2000 Jean a fait le trajet retour depuis Marseille et débarqué à Istanbul sur les traces de ses parents, c'est tout naturellement qu'il a demandé conseil à Hrant – *Agos* était alors la vitrine de la communauté arménienne de Turquie –, et c'est avec lui qu'il a visité l'orphelinat. Il m'a servi d'interprète pour mes entretiens, dit Jean, puisque je ne parle ni turc ni anglais. Je m'étonne. Mais oui, c'était quelqu'un d'immensément serviable. Ce dont je ne doute pas, mais il parlait français ? Jean me regarde comme si on n'allait jamais y arriver. En arménien bien sûr. Andouille je suis. Puisque visiblement je suis collée à la case départ, j'en profite pour poser des questions basiques ; que signifie le nom du journal, *Agos*. Jean fait le geste de semer des graines par poignées. *Agos*, c'est *Le Sillon*. C'était un mot partagé par les Turcs et les Arméniens ; en tout cas par les paysans, à l'époque où ils cohabitaient. Le sillon, comme dans la *Marseillaise* ? Qu'un sang impur abreuve nos sillons, quelle ironie, pour quelqu'un assassiné par un nationaliste. Jean acquiesce, si tu cherches des prophéties avec Hrant tu vas être servie. Lors d'une conférence à laquelle il avait été invité pour parler des minorités en Turquie, l'un des conférenciers, kurde, avait cru utile de rappeler que les Turcs et les Kurdes avaient en commun d'avoir combattu ensemble, et Hrant avait réagi : « De quelle paix parlons-nous, si nous fondons notre fraternité sur le sang versé ensemble ? Ne pensez-vous pas que je vous demanderai à qui appartenait le sang que vous avez versé ? »

Jean est plutôt avare de confidences, et le fil de ses pensées souvent dispersé. J'hésite à l'interrompre. Mais quand même, peut-être connaît-il cette artiste qui aurait fait une performance à partir d'un texte, d'après ce que j'ai compris, tracé dans de la terre pigmentée d'Anatolie.

Bonne pioche. Il se lève et attrape un livre dans sa bibliothèque bien ordonnée, un catalogue d'exposition de la galerie voisine du Muz, c'est fou comme parfois il faut faire de grands détours pour trouver ce qu'on cherchait juste en bas de chez soi. Elle a exactement mon âge. Et voilà les photos de ce carré de terre rouge, sur lequel ont été tracées une dizaine de lignes piétinées, à peine lisibles, en turc. Le catalogue ne traduit qu'en arménien, alors le vieil Arménien me retraduit en français avec l'accent de Marseille. C'est une réponse aux arguments de ceux qui ne veulent pas reconnaître le génocide parce qu'ils craignent que les descendants demandent des compensations. « Oui c'est vrai, les Arméniens ont les yeux rivés sur cette terre où sont nos racines. Ils ne la quittent pas du regard mais ce n'est pas pour la reconquérir. Ils veulent y être enterrés, au plus profond. » Jean conclut tristement, Hrant souhaitait plus que tout au monde ne pas avoir à quitter son pays, ce vœu au moins aura été exaucé : son sang impur a bien fini par abreuver la terre de ses ancêtres. Comme dit un proverbe arménien, l'eau avait fini par trouver sa fissure.

La langue est une lacune de plus en plus contrariante. Je potasse mon Assimil *le Turc*, je m'échoue sur l'apprentissage du style indirect qui me fait tout mélanger, qui parle à qui, qui est présent et qui est absent. Le plus souvent, on répète simplement les paroles qu'on rapporte, de-ci, de-là un verbe signale qu'on cite, et basta. J'essaie de recycler quelques tournures de phrases du moins à l'écrit, dans les messages de la vie quotidienne, et leur destinataire habituel les accueille invariablement avec une bienveillance amusée, sans trop m'encourager à passer à l'oral. Évidemment, nous sommes plus fluides en anglais, et qu'on communique tous les deux dans une langue seconde lui paraît plus égalitaire. Il a l'habitude, il n'a quasiment eu d'amoureuses qu'étrangères – un schéma étonnamment répandu autour de moi. Les couples mixtes sont la règle parmi nos amis. C'est une façon de s'ouvrir au monde, non. Et voyant que je ne me satisfais pas d'une réponse aussi plate, il lâche, si tu veux tout savoir, je n'aime pas faire l'amour dans ma langue maternelle. Cette confidence, aussitôt répétée à ma copine psy, la fait se pâmer et me conseiller d'écrire plutôt un livre sur la psychologie de l'homme oriental, j'aurais plus de succès et moins d'emmerdes qu'avec Hrant – tu me diras, l'un et l'autre gagneraient à être mieux compris.

On entend qu'il parle d'autres langues. On ne manque pas de mots français en turc, mais l'autre jour il en a appris un nouveau : « beauf », qu'il adopte aussitôt pour désigner les gamins nationalistes avec leurs cheveux rasés et leur moustache pseudo-virile. Il prononce « bouffe » et demande pourquoi on n'écrit pas « bof » alors ; quand je lui explique d'où vient le mot, il se demande s'il est bien raisonnable d'avoir intégré en palimpseste dans l'orthographe d'illisibles racines étymologiques. Il soupire à l'idée que nous utilisons un *i* et un *f* spécifiques pour les mots grecs et qu'il y ait une exception à cette exception pour le mot arabe *nénuphar*. À l'inverse, le turc écrit tout comme ça se prononce, sans tenir compte de la provenance des mots qui se baladent ainsi vierges de toute origine traçable. Voilà un exemple d'assimilation forcenée qu'on s'étonne que la France ne pratique pas, nos deux pays se retrouvant souvent sur ce terrain du nationalisme linguistique. En Turquie, les débats sur les langues minoritaires n'ont toujours pas trouvé de solutions, depuis le temps, alors qu'il y a vingt ans déjà Hrant écrivait qu'il « revendiquait sa part de langue kurde ». Lui qui avait épousé une Arménienne de Turquie dont la langue maternelle était le kurde réclamait de pouvoir inscrire ses enfants dans des écoles kurdophones, de même que les non-Arméniens devaient avoir le droit d'inscrire leurs enfants dans les écoles arméniennes : « Ce qui convient à ces terres », disait-il avec la simplicité du bon sens dans cet imbroglio, « c'est la coexistence des différences ». Comme si cela ne suffisait pas, il avait aussi mis les pieds dans le plat de l'islam avec son optimisme habituel et des accents librement voltairiens : « Il est beaucoup plus fécond que les différentes religions vivent ensemble, les unes avec les autres, plutôt que côte à côte. Car, si l'on parvient à une lecture correcte de leurs différences, on s'aperçoit qu'elles se nourrissent et ne se détruisent pas. L'appel à la prière du muezzin, entendu cinq fois par jour par un chrétien comme moi [il va de soi pour Hrant qu'il était chrétien bien qu'athée, chrétien *et* athée], lui rappelle qu'il est chrétien. » Si l'on suppose que la haine vient de la peur qui vient de l'ignorance de l'autre, il suffit d'éducation pour que nous vivions heureux et ensemble, épanouis en pleine intelligence, pour les siècles des siècles, amen.

Ces incantations sur le vivre-ensemble, écrites en 2005, me font l'effet d'une recette spectaculairement ratée. Mais peut-être, comme sainte Euphémie de Chalcédoine dépecée par les lions il y a dix-sept siècles, les mots de Hrant disséminés dans des livres traduits dans toutes les langues et toujours, entêtants, survivant au messager, présents aux mémoires turques, kurdes, arméniennes, et à la nôtre maintenant, feront-ils miracle à retardement.

Pour une fois sans s'arrêter, sans silences, sans quant-à-soi, il parle en marchant vite, il déverse des insultes sonnantes sur l'indécence de ces gouvernements d'imbéciles et contre l'accord entre la Turquie et l'Union européenne, c'est quoi ce truc d'échanger des visas contre des réfugiés on est où là, quel siècle, quelles démocraties. La Turquie l'accable mais l'Europe c'est pire, une déception, un abandon. Je croyais que l'idée de l'Union c'était d'éviter une Troisième Guerre mondiale ; visiblement pas. Dont acte. L'accord prévoit de verser des milliards à l'État turc, avec, en prime, sans que personne y croie vraiment – mais ce sera toujours l'occasion pour Erdoğan de saisir le bâton des promesses non tenues quand ça l'arrangera – l'engagement de supprimer les visas d'entrée dans Schengen pour les citoyens turcs. En échange de quoi ? Aucune garantie sur les droits de l'homme bien sûr, non ce qui intéresse les pays les plus riches du monde au XXIe siècle c'est que les réfugiés arrivant de Syrie, plus de trois millions déjà de ce côté de la frontière, y restent. Et on se lave les mains des conditions et conséquences catastrophiquement prévisibles de cette situation d'ores et déjà explosive. « L'Europe doit prendre ses responsabilités, écrit Aslı Erdoğan, en revenant vers les valeurs qu'elle avait définies, après des siècles de sang versé, et qui font que "l'Europe est l'Europe" : la démocratie, les droits humains, la liberté d'opinion et d'expression. » Appel resté sans réponse. Metin, mon voisin journaliste, est plutôt sceptique quant aux bons sentiments des États et grimace à l'idée d'appeler l'Europe à l'aide, soupçonnant un paternalisme mal venu, et une façon pour les Turcs de ne pas assumer leurs propres défaillances. Hrant, qui ne se faisait pas davantage d'illusions, n'avait lui pas de complexes à interpeller les puissances impérialistes. « Si l'Europe s'était vraiment comportée de façon responsable, aurait-on finalement connu ces jours douloureux et vécu tous ces effondrements ? » En même temps qu'il raillait la fausse bonne conscience que s'achetaient les Parlements français et allemand en reconnaissant le génocide arménien, il disait que la dette de l'Europe était manifeste – « Il faut bien admettre que l'intérêt témoigné dans le passé par l'Europe divisée pour cette région du monde a suscité l'épuisement des peuples. » Je soupçonne un problème de traduction. Je demande si l'on peut vraiment *épuiser* quelqu'un à force de lui témoigner de l'intérêt et la réponse, sans hésitation, est : évidemment.

J'approuve vaguement sans en rajouter, pas la peine, je cherche mon briquet au fond de mon sac, sans doute perdu parmi les mille choses inutiles que je trimballe – quoique, avec un téléphone, une dizaine de stylos et un rouge à lèvres on doit bien pouvoir faire du feu – je marche dans un tas de croquettes soigneusement déposé au bord du trottoir – regard exaspéré, je dis, oups, et rétablis vaguement le tas, car on ne rigole pas avec les chats des rues ici ; je continue à farfouiller en traversant la rue un peu n'importe comment, un scooter m'évite en slalomant dangereusement et c'est alors qu'un homme d'un certain âge, barbe grise, qui était assis sur un petit tabouret là avec son thé, se lève et avance droit vers moi, plante sous mon nez un briquet, la flamme déjà sortie en disant, cérémonieusement, grand sourire : Madame. Je sursaute et réprime d'extrême justesse un réflexe agressif, parisien, pas passé loin de s'en prendre une celui-là. Il me regarde dans les yeux avec son briquet tendu, simple service, j'allume ma cigarette et je remercie de toutes les formules de politesse que je connais en turc, il se tourne vers mon compagnon qui nous regarde l'air narquois, un peu consterné, le papi pose la main sur son torse en signe de bonne foi et s'excuse de m'avoir fait peur. L'autre tend un bras protecteur vers moi, m'attrape la main comme si j'avais quatre ans. « Et nous voilà, mon pays et moi, les cheveux dans le vent, ma main petite maintenant dans son poing énorme », j'aime bien l'écho à ce poème de Césaire, au bout de la colère de ce matin.

Pendant Gezi, un historien prenait des photos des banderoles sur le Centre culturel Atatürk – malgré l'effervescence et l'euphorie du moment il sentait que ce qui s'écrivait là ils ne seraient pas nombreux à en témoigner quand la trappe se refermerait. Il disait, en lisant déjà en 2013 dans la presse occidentale que la démocratie turque était en pleine régression, que nous ferions mieux de nous méfier. Peut-être au contraire avait-elle un tour d'avance. Hrant ne disait pas autre chose, malgré son irréductible optimisme de la volonté. Il écrivait qu'« alors que les chrétiens européens commen[cent] à peine à s'adapter, tant bien que mal, à un mode de vie multiculturel dont font partie les musulmans, les Arméniens, eux, comme d'autres chrétiens d'Orient (les Syriaques, les Chaldéens, etc.), [ont] vécu les aspects positifs et négatifs de cette réalité. Ils sont aujourd'hui les dépositaires d'une expérience inestimable [...] Améliorer ce qui a été bien fait dans le passé, ne plus répéter ce qui a été mal fait, voilà une leçon pour l'Europe. » L'Arménien de Marseille Jean Kehayan renchérissait de livre en livre de son côté :

« Si la Turquie refusait d'entamer son processus pour entrer dans l'Union européenne, il serait indispensable que les nations fondatrices de l'Europe déploient des trésors de diplomatie pour convaincre Ankara d'effectuer cette démarche. » Mais de part et d'autre, le désir de rapprochement était fragile, minoritaire, motivé côté européen essentiellement par la peur qu'une Turquie instable soit plus dangereuse dehors que dedans – or de la peur sort rarement un rapprochement sincère, pas vrai. Hrant espérait transformer le cynisme européen en un réel intérêt pour ce que cette terre avait à apporter – « Il faut nous souvenir de l'Anatolie d'il y a cent ans : l'Europe ne supplierait-elle pas ce pays ? »

Mais ce n'est pas ce que ses contemporains ont choisi de retenir. « Tu l'aimes ou tu la quittes » par exemple. De quelle tombe crois-tu que Sarkozy a exhumé ce refrain qui a abreuvé sa campagne de 2007, en même temps qu'il promettait à ses électeurs de claquer définitivement la porte d'entrée de l'Europe à la Turquie musulmane ? On l'avait entendu sous les fenêtres d'*Agos* pendant les manifestations qui ont précédé l'assassinat, pendant qu'au nom de ce principe imbécile de devoir aimer son pays envers et contre l'histoire, Hrant a été poursuivi, trois procès, pour insulte à l'identité turque.

D'ailleurs, cette loi qui punit les gens qui n'aiment pas leur patrie comme on leur dit de l'aimer, ça m'étonnerait que vous n'en héritiez pas bientôt, au train où va la démocratie chez vous. Quand on pense que c'est dans l'espoir de se débarrasser de ces lois tribales que Hrant poussait à l'intégration à l'U.E., aujourd'hui on ne serait presque plus étonné qu'un des pays de l'Union adopte à son tour une loi réprimant le blasphème, fût-il républicain.

Cependant il faut rendre à l'Europe les hommages qui lui reviennent, elle s'y connaît en symboles. Le genre qui arrive trop tard pour être utile, mais qui réconforte quelque peu les survivants en leur donnant, si ce n'est le sentiment que justice est in fine faite, du moins l'espoir que ce qui leur est arrivé ne se reproduira pas. « Je suis en train de déposer un recours devant la Cour européenne des droits de l'homme », écrivait Hrant dans l'éditorial publié le jour même de sa mort. « Je ne sais pas combien d'années durera cette procédure, mais je me console en songeant qu'au moins jusqu'à la fin de ce procès je vais continuer à vivre en Turquie. Si la Cour se prononce en ma faveur, cela voudra dire que je ne serai jamais obligé de quitter mon pays et ce sera ma plus grande joie. » La C.E.D.H. a fini par dire post mortem le droit sur ce cas critique pour la liberté d'expression. En 2010 donc, près de quatre ans après la mort de Hrant, l'État turc a été condamné dans l'affaire « Dink contre Turquie » – Dink que dans son respect des formes l'Europe appelle de son prénom turquifié, Fırat, l'ironie du déni d'identité arménienne lui échappant visiblement. Voici les conclusions des juges Sajó et Tsotsoria :

Il est possible qu'un certain nombre de personnes se soient senties si outragées par les écrits de Fırat Dink qu'elles aient décidé de le tuer, mais cela ne saurait être une considération pertinente. Les autorités auraient dû empêcher le meurtre. Ce serait la fin de la liberté d'expression et de la démocratie si les autorités d'un pays étaient autorisées à réduire au silence les personnes s'exprimant publiquement simplement en refusant d'allouer des ressources au maintien de l'ordre public et de la sécurité. L'outrage, même s'il découle de certains propos, n'est pas en soi facteur de violence, et l'on ne saurait imputer un trouble potentiel aux auteurs de ces propos dans les cas où le trouble allégué trouve en fait son origine dans le mécontentement de ceux qui en sont destinataires. Admettre que l'outrage et le trouble ou l'émeute qui pourrait en résulter représentent un motif légitime de limiter la liberté d'expression reviendrait à accorder un droit de veto aux perturbateurs et à permettre à des groupuscules violents en désaccord avec une personne qui se prévaut de la liberté d'expression de lui imposer leur vision du discours admissible.

Hrant dans l'un de ses derniers textes raconte qu'alors que les nationalistes défilaient sous ses fenêtres pour déposer des couronnes mortuaires et scander « Tu nous aimes ou tu nous quittes », il fut convoqué au tribunal d'Istanbul. Le procureur le mit en garde contre les conséquences possibles et incontrôlables de ses écrits, de l'avis même du chef de police qui ne trouva pourtant pas utile de le protéger. « Ne pensez-vous pas qu'il vous faudrait agir avec plus de prudence ? Vous rendez-vous compte du charivari que vous avez provoqué ? Vous le savez bien, les rues sont remplies de toutes sortes d'énergumènes », ce genre d'arguments. Peu après, en France, *Charlie Hebdo* republiait les caricatures danoises de Mahomet. Jacques Chirac, alors président de la République, condamna officiellement « toutes les provocations manifestes, susceptibles d'attiser dangereusement les passions », pendant que le ministre de l'Intérieur Nicolas Sarkozy ânonnait que la Turquie, c'était décidément pas comme chez nous.

Bien sûr qu'il y a deux poids deux mesures, rétorque Fares, qui attrape notre conversation pendant qu'il essaie de faire fonctionner, la mine renfrognée, la machine à café du Muz. Fares n'est pas stambouliote depuis longtemps, il n'a pas non plus vocation à faire du café toute sa vie. Il y a encore quelques mois il était dentiste, à Alep. Il a atterri à Istanbul, je ne sais pas bien comment, et sa compagne, la magnifique Anna, l'a rejoint ici. Anna est ukrainienne. Pas de permis de séjour en Turquie. Elle fait des cafés toute la journée sans se plaindre, mais pas Fares. Il parle anglais, français, un peu de turc déjà – plus que moi qui suis là depuis bien plus longtemps – il sait tout faire sauf le cappuccino. Il passe le relais et se plante en face de moi. Qu'est-ce qui t'étonne, la France produit des contenus et en arrose le monde, ce qui se passe chez vous se diffuse naturellement comme sur une autoroute bardée d'amplis. Regarde Naji Jerf, qui a été assassiné juste après *Hebdo*, c'était le meilleur homme du monde, un journaliste, un réalisateur exemplaire, engagé contre Assad et contre Daech (il ne dit pas

Daech, personne ne dit jamais Daech ici, on utilise plus volontiers l'anglais ISIS, l'État islamique en Irak et au Sham – ou au Levant, ISIL). Sauf que tu n'as pas vu les gens se précipiter pour acheter son journal quand il a été abattu. Personne n'a pris la peine de traduire en dix langues *Hentah* pour montrer au monde quel média venait d'être décapité. Ça m'étonnerait qu'une seule chaîne de télévision européenne ait diffusé son documentaire au nom de la liberté d'expression, pourtant c'est à cause de ce film qu'il a été assassiné, faut croire qu'il n'y a que les Daechiens qui se donnent la peine de regarder le boulot des journalistes sur le terrain et de trouver que c'est important, que ça pourrait leur nuire, au point de flinguer le mec.

Je tape « Naji Jerf » sur YouTube. *ISIL in Aleppo*, documentaire de vingt-six minutes en arabe. Posté par Naji le 15 décembre 2015, deux semaines avant son assassinat. Vu 76 976 fois. Une longue séquence où l'on voit une mère, en tchador, les mains gantées, parlementer avec les geôliers de Daech pour faire libérer son fils, se défendre d'être issue d'une famille progressiste. Mais renseignez-vous, notre famille ce ne sont pas des laïcs. Mon fils ne peut pas être accusé de ça. Elle supplie mais trop tard. Le fils a été exécuté. Le gardien s'en lave les mains, c'est pas sa faute. Le compte YouTube de Naji existe depuis 2011, il y a d'autres vidéos, plus anciennes, d'un joueur de oud dans une salle carrelée de blanc, lumière rouge. Le musicien a l'air kurde, il chante pour quelques spectateurs, on entend la voix d'une femme lui parler, des applaudissements, il rit. La caméra est stable. Sans doute un petit appareil sur un pied, Naji n'a pas pris la peine de renommer le fichier du film et l'a envoyé directement sur YouTube avec son appellation d'origine, MVI 9327, suivi de MVI 9328, la suite du concert. Posté le 28 décembre 2014, le premier jour de la dernière année de sa vie qui se finirait le 27 décembre suivant. Vu 446 fois. Un seul commentaire, qui commence bien : « Dimanche 27 décembre 2015, Naji Jerf, courageux journaliste syrien et réalisateur acclamé de documentaires sur les crimes odieux perpétrés contre le peuple syrien opprimé, et contre d'autres peuples sans défense du Proche et du Moyen-Orient par l'impitoyable armée de mercenaires connue sous le nom d'ISIS – et puis une chausse-trappe – (*ISIS = IsraHell Secret Intelligence Service*)... » Pas besoin d'en lire davantage, je connais par cœur les logorrhées complotistes et leurs jeux de mots minables qui rivalisent du peu d'esprit qu'ils ont pour tout renvoyer sur Israël.

Je me demande comment Naji modérait ce genre de commentaires sur sa page. Est-ce qu'il répondait, est-ce qu'il les supprimait. Je clique sur sa photo, comme pour lire dans son regard concentré, tourné vers autre chose, une réponse. Le face-à-face me bouleverse. L'étonnante ressemblance avec l'homme qui, à quelques centimètres de moi, roule ses cigarettes. Je peux te montrer quelque chose ? Je tourne l'écran vers lui. Autant lui faire regarder un miroir. Naji Jerf est son sosie, l'air à peine plus vieux. Il y a quelques portraits de face, sur lesquels il regarde l'objectif fièrement, avec chaleur, avec gravité. Et d'autres photos, avec des enfants, deux jolies petites mômes qu'il tient dans ses bras. Je repense à cette soirée d'élection, l'an dernier, quand l'AKP d'Erdoğan avait passé la barre de la majorité absolue au Parlement, tu avais dit tristement, comme un renoncement, qu'il faudrait être complètement tordu maintenant pour faire des enfants dans ce pays. Il a l'air peiné. Il demande ce qui ne va pas chez moi.

Anna attrape les cafés et me fait signe de la suivre, on sort s'asseoir sur les banquettes au fond, dans le coin fumeur des employés, un espace ouvert aménagé sur les ruines d'un immeuble effondré qui donne dans la rue derrière, au milieu des citronniers qui font aussi office de cendriers. À l'étage au-dessus, le balcon d'un salon de tatouage qui passe de la musique à fond toute la journée. De l'autre côté de la ruine qui nous sert, et aux chatons en goguette, de cour intérieure, un autre magasin est en train d'installer un genre de petit salon d'hiver. Erol, motard devenu petit commerçant par nécessité, est en train de fixer des étagères à l'extérieur, comme une bibliothèque. On s'assoit avec Anna près de nos citronniers, il nous fait coucou de la main, nous invite à prendre un thé. Anna ne bouge pas, elle a le regard un peu perdu, Fares non plus ne veut pas d'enfants, il dit que vu leur situation c'est hors de question. Et c'est vrai qu'ils sont tous les deux sans-papiers, vivent dans un petit appartement misérable, la douche qui inonde tout tous les matins, les cafards indélogeables, ils travaillent dix heures par jour, six jours sur sept, sans vacances, pour 1200 livres par mois alors que les prix des logements dans le quartier s'affichent en dollars. Anna sait bien tout ça, elle sait aussi qu'elle a l'âge ou jamais. Elle sourit comme elle fait toujours avec un rire de petite fille qui s'excuse parce qu'elle sait qu'elle est adulte, mais elle ne peut pas ne pas le dire : elle déteste ce qui est en train de lui arriver. Vraiment c'est horrible de vieillir sans enfants tu ne trouves pas ? Je dis que la vie me semble infiniment plus simple comme ça. Mais toi, dit-elle, tu pourrais, elle jette un œil à l'intérieur du café, enfin, pas ici, pas avec lui. Ça m'irrite qu'on me dise quoi faire, surtout quand c'est toujours la même chose. Anna, tu pourrais partir aussi tu as un passeport, pourquoi tu restes ? Fini le petit rire qui s'excuse. Mais je suis comme toi ma biche : j'attends le feu d'artifice.

Il dort. Allongé de tout son long sur le sofa, dans le rayon de lumière couchante. Je l'enjambe et il cille, pose la main sur mon ventre, je m'assois le plus délicatement possible.

Tu sais comment on reconnaît les dominants dans la savane ? Ils ne sursautent pas quand ils se réveillent. Il sourit, c'est ça, et toi tu es un genre de gazelle kamikaze ; il tâte mes côtes, tu as mangé ? Je fais oui de la tête (pas vrai). J'ai comme un filtre dont je ne peux pas me défaire, les yeux fermés ou ouverts c'est là, je vois Naji Jerf, son nom me siffle aux oreilles et c'est son visage, devant mes yeux clignote l'image manquante, celle de Naji assassiné, une balle tirée d'un silencieux en pleine rue à Gaziantep, le corps qui s'effondre, débranché, sans vie.

Ce n'est pas moi qui le dis c'est Amin Maalouf – déjà en 2004 : « L'intranquillité turque est *intense.* Le pays s'est détourné de son passé ottoman et il a renoncé à sa primauté au sein du monde musulman pour s'identifier à l'Europe ; alors que celle-ci ressasse encore et encore le souvenir des janissaires sous les murs de Vienne. Que faire lorsqu'on a derrière soi l'abîme et devant soi une porte fermée, ou faussement entrouverte ? » Pour une fois, je me suis levée tôt mais je suis seule à la maison et pour rien au monde je n'aurais voulu affronter cette matinée pluvieuse, moche, mesquine. Je me fais couler un bain. J'installe mon ordinateur en équilibre sur le rebord du porte-serviette, je mets la radio française, on est samedi matin à Istanbul et j'ai Finkielkraut dans ma salle de bains. Il me faut de l'eau bien chaude pour me détendre un peu. Je me souviens de mes rêves en ce moment. Des histoires difficilement lisibles. Cette nuit j'ai rêvé que j'arrachais des carottes. Des carottes un peu surdimensionnées, ou c'est moi qui avais rétréci ? Je les arrachais plutôt facilement d'ailleurs, dans une allée de potager dont elles dépassaient largement, mais elles m'encombraient tellement, j'avais les bras pleins de carottes dont je ne savais pas quoi faire. Ça vibre. Je me contorsionne pour attraper mon téléphone sur le rebord de l'évier. Un message d'Elsa. Tout va bien ? Je n'aime pas cette question. Je n'aime pas du tout. Site d'informations, brève à l'instant : explosion sur Istiklal, morts et blessés encore inconnus. Le Muz est juste à côté, on est samedi matin c'est sans doute désert mais il faudrait que j'appelle pour être sûre. C'est probablement, très probablement fermé. Ce qui ne veut pas dire qu'il n'y a personne. Est-ce qu'il faudrait que je sorte de la baignoire. Je décide de plonger la tête sous l'eau et de compter jusqu'à dix avant d'appeler. Ça devrait suffire. Un, deux, dix. Il décroche de suite, il est au marché, tout va bien. Je ne peux pas croire que ce soit un attentat, dit-il, quel crétin il faudrait être pour se faire sauter un samedi matin sur Istiklal – le centre névralgique de la ville, on y marche la plupart du temps au ralenti au milieu de la foule, entre les magasins, les restaurants, les bars, c'est l'embouteillage piéton incontournable dès midi tous les jours ; mais le matin, qui plus est samedi, c'est désert. Ou bien c'est le PKK, on n'est pas loin du poste de police, cible possible. En tout cas il me dit de ne pas m'énerver outre mesure, on ne connaît personne susceptible d'être levé et dehors à cette heure matinale parmi nos amis. Je raccroche, je n'aime pas ce calme qui sonne faux, trop rationnel, comme si c'était normal de s'appeler au cas où… Je reste immobile dans l'eau, je cherche comment évacuer l'angoisse qui stationne. J'aimerais pouvoir ouvrir un bouchon dans cette baignoire et que l'eau se déverse dans la salle de bains, dans tout l'appartement, dégringole les étages. Techniquement pas faisable. Le bain du samedi matin, pendant que des gens se font sauter et que d'autres meurent dans la rue, est imperturbable. Comme Finkielkraut qui continue à bavasser à la radio. J'ai encore le téléphone à la main, je le plonge doucement, assez cruellement, dans l'eau. Et puis ça suffit avec ça, je sors de la baignoire en laissant tremper le téléphone.

Les oreilles qui bourdonnent, je ne sais pas ce qui me retient de me les couper. À quelle heure est le prochain cours de yoga. Surtout ne pas traîner, je prends mes affaires et je claque la porte, j'ai oublié les clefs dedans, tant pis, j'attends le ferry avec la musique à fond dans le casque pour couvrir le vrombissement et penser à autre chose, ne pas soupçonner mes voisins de transporter des explosifs et de vouloir la destruction de l'humanité, surtout ne pas l'imaginer, se concentrer très fort pour contenir la peur pendant la traversée, sans un regard pour l'eau profonde du Bosphore. Je grimpe à toute allure la côte à pic de Cihangir jusqu'au club de yoga. Je me joins à la séance en cours, temporairement assommée et calme, une fille trop maigre parmi d'autres dans l'ambiance zen des bobos stambouliotes. Comment j'en suis arrivée à devoir me concentrer sur ma respiration en turc pour ne pas être submergée par l'angoisse du monde, je ne veux pas y penser.

En sortant, je devine comme des fantômes autour de moi les messages inquiets qui demandent si je suis à la maison, qui disent qu'il est rentré et que je n'y suis pas, qu'il a trouvé maintenant mon téléphone noyé dans la baignoire et ne sait plus comment me joindre, où je suis, comment je vais, qui m'ordonnent de rentrer. Je sens que j'ai besoin de marcher, de beaucoup marcher dans ce début de soirée. Je pourrais traverser le Bosphore à pied si on voulait bien m'ouvrir les eaux. J'essaie de me souvenir de ce petit livre d'Aslı Erdoğan qui raconte si bien ses déambulations nocturnes à Genève, *Le Mandarin miraculeux*. « Toutes les nuits, sans faute, je parcours les rues [...], comme le spectre d'une femme morte au siècle passé », écrit-elle. « Il n'y avait que là, dans cette vieille ville pleine de souvenirs, de vieux et imposants édifices sans âme, mais aussi de rêves, de fantômes et de souvenirs, que mon univers intérieur, tout encombré de ruines, pouvait trouver refuge. » Je me demande si Aslı, la marcheuse stambouliote, est toujours en exil. Si elle erre en ce moment dans une ville d'Europe pendant que je parcours la sienne. Je ne savais pas qu'en pensant à elle ce soir-là j'étais à quelques rues de son appartement où la police viendrait bientôt la chercher – si je l'ai croisée alors je ne l'ai pas su, je ne l'aurais pas reconnue.

Avant de me perdre dans Şişli je retrouve le chemin de chez Erdem et je sonne, parce que la nuit est déjà bien avancée et je ne veux pas rentrer à la maison. Il déplie le canapé-lit sans protester, dit que pour prendre du recul il faut du temps long, aller dans la vieille ville, à Constantinople, remonter jusqu'à Byzance si besoin, on ira ensemble demain si je veux. J'essaie de temps en temps de retourner sur les traces de l'émerveillement qui a été le mien les premières fois où je me suis trouvée là, face à Sainte-Sophie, en vain : depuis les attentats de la Mosquée bleue, l'esplanade où l'on s'asseyait est complètement militarisée. Si je m'installais comme avant aux terrasses en hauteur, j'aurais l'impression d'être Néron. Avec Erdem nous poussons un peu plus loin que la zone touristique et on s'enfonce dans l'ancien quartier arménien, aujourd'hui largement islamisé de mosquées fraîchement repeintes au milieu d'immeubles en décrépitude. Ici on peut encore deviner un clocher colonisé par les lierres et les vignes, le reste de l'église inaccessible, même pas de porte d'entrée, murée. Là, une fontaine et en étoile des allées où s'entassent des restaurants de poisson qui se réhaussent d'une terrasse, d'un toit aménagé, pour avoir un semblant de vue sur la mer de Marmara au-dessus des encombrements du quartier. Nouvelle mode, depuis quelques années, les rues les plus animées ont déployé, à trois ou quatre mètres du sol, une forêt de parapluies ouverts, multicolores. Ils remplacent les treilles de vignes qui, si on en croit leur omniprésence sur les ruines d'immeubles à l'abandon, devaient auparavant assurer l'ombre aux vendeurs de chaussures assis sur les trottoirs, juste en face des magasins qui vendent ces mêmes chaussures – mais toutes pointures disponibles – deux fois plus cher. En plus du trafic sur les rues parallèles au bord de l'eau, les salons de thé et les kebabs sont bondés. Quasiment que des hommes, les plus âgés assis, les plus jeunes en groupes dans la rue. Mon allure, la façon dont je suis habillée, sans manches, les lunettes de soleil, le sac en tissu qui me sert de sac à main, malgré mes cheveux noirs et Erdem je ne passe pas inaperçue. Par contamination on lui parle à lui aussi en anglais, parfois même directement en français. Les commerçants stambouliotes ont le génie pour deviner d'où on vient, Erdem s'en étonne un peu avant de remarquer le nom de la librairie parisienne qui floque mon sac, tu pourrais faire un effort de discrétion. Ben quoi, tu voudrais que je porte un T-shirt Nâzım

Hikmet – le poète, martyr communiste, est devenu une icône populaire comme le Che. Erdem acquiesce et en même temps, pas sûr que ce serait très bien accueilli dans ce quartier. Dans une boutique qui justement vend des contrefaçons, on trouve un sac en tissu au slogan du Muz : *They call it chaos, we call it home.* J'achète. On descend dans les petites rues jusqu'à l'épiscopat arménien, entouré de deux postes de police, comme des *checkpoints*, fixes. En face, la splendide église aux intérieurs bleus et roses, lumière douce. Passent une mère et son enfant, Erdem me demande si j'identifie la langue, d'où ils viennent ; je dirais, Afrique de l'Ouest. Les voilà, les nouvelles figures minoritaires de la ville, acquiesce Erdem. « Mais elles n'ont pas, pour ainsi dire, la consistance des figures anciennes, disparues et déjà presque imperceptibles, des Arméniens, des Grecs, des Juifs et aussi bien des Syriaques. Celles-là représentaient proprement l'essence d'Istanbul, à la fois Byzance, et la capitale de l'Empire ottoman. » Erdem aime la poésie, et a le goût de la traduction. Je lui demande de m'en dire, pendant qu'on descend, qu'on remonte, qu'on zigzague dans les rues et que mon sens de l'orientation a le tournis. Encore une église complètement enfermée dans ses remparts étroits. Gedikpaşa, la rue de l'orphelinat où Hrant Dink et ses frères ont passé leur enfance. On grimpe comme ils ont dû le faire tant de fois, caracolant probablement avec plus de légèreté, plus de souffle que nous, sur les pavés séculaires. Pendant des années les petits Dink bien que placés à l'orphelinat ont rendu visite à leur mère tous les jours, lui servant de coursiers en ville pour porter aux clients ses travaux de couture, grâce auxquels elle survivait péniblement. On peut imaginer le dévouement des enfants qui n'avaient plus que ce lien avec leur mère. Erdem expire gravement, au rythme de ses pas, un poème d'une infinie tristesse, *Tragédies*, d'Edip Cansever.

Nous sommes comme figés dans une phrase très sombre
Figés dans une phrase
Où tout le monde, mais bien tout le monde, erre
Où toutes les lettres, tous les télégrammes
Sont sans cesse mal transmis

L'orphelinat et l'école étaient au pied d'une église sans charme, mais toujours en activité. Aujourd'hui – on est dimanche – s'en échappent des chants religieux et des rires d'enfants. Dans la cour, ça joue. J'entre dans le bâtiment timidement, pour ne pas déranger l'office. Les femmes m'encouragent à m'engager, mais je m'arrête à la table des livres et des bibles, j'avise un recueil de psaumes en arménien, une belle édition. Je prends. Derrière, dans le parking, des hommes discutent en fumant près de carrioles de vendeurs ambulants qui doivent sillonner, dans la semaine, le quartier touristique. Ces chariots rouges vendent des petits pains ronds au sésame. Quand je prends le bateau d'une rive à l'autre de la ville j'en achète toujours un à partager avec les mouettes qui suivent le ferry.

On fait une pause en haut de la colline, pour souffler, se tourner et voir qu'on est assez haut pour qu'au bout de la rue on aperçoive la mer de Marmara. Ce n'est pas le Bosphore de ce côté, et l'horizon est ouvert sur la mer, sans rive opposée. Nulle part où se projeter. La mer incertaine dans laquelle se jettent les migrants chaque nuit, au départ des plages turques du sud. Un cargo passe lentement dans l'encadrement étroit de la perspective. Derrière, on en voit des dizaines, alignés, qui attendent le feu vert pour s'engouffrer dans le détroit. On dirait une partie de bataille navale. Un vieil homme s'installe à côté de nous sur un tabouret pour nourrir les pigeons. Erdem me demande si je connais la poésie d'Ilhan Berk, son recueil sur les *Pigeons de Saint-Antoine*. Je fais non. C'est une conjuration.

Lambodis ne doit plus avoir peur désormais
Elena ne doit plus avoir peur
Tous les pigeons se sont envolés personne ne connaîtra
la peur

À l'heure où les choses se réveillent
L'amour commencera
Tout s'arrêtera.

Hrant, dans son dernier texte, se comparait à un pigeon inquiet, vivant dans la peur, à l'affût de celui qui jetterait la première pierre. Il notait pourtant, pour se rassurer, qu'il savait que dans ce pays, personne ne faisait de mal aux oiseaux. Avec Erdem on redescend la côte et, contournant le bazar, on se dirige vers cette adorable mosquée qu'on appelle la Petite Sainte-Sophie. Toute jolie avec son jardin, son kiosque et des animaux improbables qui s'ébattent là, des chats bien sûr mais aussi des lapins, des canards. Le vieil homme qui sert du thé dans le jardin me reconnaît, je viens de temps en temps rêvasser ici. J'aime regarder les gens qui vont et viennent à l'heure de la prière, les hommes se lavent les mains consciencieusement et mettent de côté une coupelle d'eau pour les chats. Je peux passer des heures à observer la vie autonome de ce jardin, une bulle dans ce quartier dévitalisé par le tourisme de masse. Je m'identifie assez au gros lapin blanc, qui a l'air de compter sur les chats pour veiller à la sécurité du jardin et se range sous leur protection bienveillante pour brouter tranquille. Les canards ont un comportement beaucoup plus chacun pour soi, et finissent souvent par se faire chasser par les enfants qui les prennent en grippe. On nous sert un thé, j'ai toujours ma bible à la main. Contrairement à ma culture générale clairsemée, dilettante promenade entre quelques œuvres hétérogènes et poétiques, la mémoire prodigieuse d'Erdem lui fait volontiers réciter toutes sortes de textes, y compris religieux. Il regrette un peu de ne pas avoir appris l'arabe mais à son époque, quand on avait la possibilité d'apprendre des langues et de voyager, on apprenait le français, on allait en Europe. Je dis l'arabe par pragmatisme, mais j'aurais bien plongé dans le persan, qui irrigue la langue et la culture turques, ç'aurait été une autre ouverture sur notre monde. Tu te rends compte on a l'appel à la prière en arabe ici, que personne ne comprend – sauf les réfugiés bien sûr, et nos nouveaux amis des Émirats. Sur les tombes de nos ancêtres ottomans, la lecture même des noms nous est inaccessible. Atatürk a fait fort, en changeant l'alphabet pour le latin, quasiment du jour au lendemain – plus radical il n'y a guère qu'Israël et sa résurrection de l'hébreu.

J'aime bien l'hébreu, sa graphie hors lieu, hors temps, qui incarne pour moi une sorte d'essence du littéraire. Erdem se marre, oui c'est très fort l'hébreu, une langue qui a à dos les fascistes, les gauchistes et les islamistes ne doit pas être sous-estimée. L'alphabet arménien lui ressemble d'ailleurs, en plus dansant. Je feuillette mon recueil de psaumes en arménien et je me demande quels textes sacrés accompagnaient Hrant, puisqu'il semble qu'il ait su conjuguer son marxisme avec une profonde culture religieuse et que sa femme, Rakel, était (est toujours, sans doute) carrément dévote. Un homme qui baptise son journal *Le Sillon* devait probablement avoir en tête la parabole du semeur. Les graines qui tombent de la main de Jésus sur le bord du chemin ou sur les pierres sont perdues, mais celles qui sont tombées sur de la bonne terre ont donné des fruits : l'une cent, une autre soixante, une autre trente. Voilà *Agos*, le terreau où a pu pousser quelque chose plutôt que rien. Quand Hrant fut assailli par les menaces de mort, les messages de solidarité d'inconnus lui parvinrent aussi : « Maintenant que le ramadan est arrivé, je fais cinq prières quotidiennes, sans exception. Tu es présent, mon fils, dans chacune de ces prières. Je ne cesse d'implorer Allah le Très-Haut pour qu'Il te protège. » « Et moi ? se demanda Hrant dans la confession hebdomadaire qu'était devenu son éditorial, que dois-je faire ? Faut-il que je fortifie ma conscience de gauche en me tenant éloigné de Dieu ou, au contraire, dois-je obéir à mon bon sens en récitant les psaumes de mon enfance ? » Il avait appris ses prières par cœur à l'orphelinat, en turc et en arménien, à cinquante ans passés il pouvait encore s'en réciter plusieurs. Moi je ne connais qu'un début de psaume, « Si je t'oublie jamais, que ma droite m'oublie, que ma langue se colle à mon palais ». Erdem hausse les épaules, et cite quant à lui l'iconoclaste Jean Kehayan : « La mémoire ne sert à rien sauf à se donner bonne conscience. » Pas vrai je pense, pas vrai.

Éveillée ou endormie je rêve, je rêve que je me désintègre que je perds mes dents qu'une substance blanche pousse en moi et m'asphyxie, que je me vide de mon sang par les mains, les ongles très longs se détachent d'un bruit sec et ça coule, par les jambes écorchées, par la gorge tranchée, je rêve de chats qui tombent des rambardes, d'adolescents aux yeux brillants qui surgissent au coin de la rue et tirent en pleine tête, de glissements de terrain emportant tout Cihangir dans le Bosphore, de ballerines funambules aux pieds cisaillés, je rêve que je marche sur les tuiles des toits d'Istanbul et qu'elles glissent et se décrochent. Mais toujours ta main me rattrape, juste au moment où je me réveille en plein vertige, les poings fermés, agrippée aux draps ; même si de plus en plus souvent au réveil tu n'es plus là.

Ton côté du lit, ta table de chevet, le cendrier et le carnet de dessins sont comme abandonnés. Mais si je n'ai pas rêvé, hier quand tu es rentré, en plein milieu de la nuit ivre, ivre sans rire, on a fait l'amour violemment, comme si j'étais encore capable de me battre, comme s'il y avait encore quelque force à mater en moi et je ne sais même pas si tu y as trouvé ton compte tu t'es effondré de sommeil aussitôt après et ce matin tu n'es plus là.

La fenêtre est ouverte on entend l'animation de la rue, il doit être tard déjà, j'ai tellement transpiré, je vais direct dans la douche, longtemps longtemps, assise sous l'eau brûlante, je me rase les jambes et les microcoupures font des points rouge sanguinolent çà et là, j'ai des bleus impressionnants sur les cuisses. Quand je m'extrais de la douche la pièce est complètement embuée, je nettoie le maquillage qui a coulé et me refais un visage, pas trop mal pour quelqu'un qui revient de mille morts nocturnes. Je mets une couche de noir sur mes yeux et comme souvent quand je suis tellement fatiguée, tellement au bout du rouleau, j'ai les pupilles dilatées et le regard perçant, la peau tannée, j'ai une mine rayonnante.

Je sors fumer sur le balcon et je repère sur la table basse un feuilleté au fromage non entamé. Au bureau qui me tourne le dos, tu fixes à l'écran les maquettes de je ne sais quoi, immobile, peut-être concentré, peut-être somnolent. Je m'approche par derrière je pose la main sur ton cou et je t'embrasse de l'autre côté, tu ne sursautes pas, tu caresses distraitement mon bras tu dis que tu as acheté un feuilleté pour moi mais qu'il n'y a plus de café, qu'il faut redescendre. J'acquiesce, tu corriges, tu devrais aller prendre le petit déjeuner avec Georgi il est en bas. Je vais rester ici aujourd'hui, je dois bosser là-dessus. Je demande si Georgi est officiellement en charge de s'occuper de moi maintenant. Sourire agacé, personne n'est en charge de personne, chacun vole de ses propres ailes. Tu te lèves pour couper court et tu poses les yeux sur moi seulement maintenant en attrapant tes cigarettes, tu touches ma joue et souris tendrement cette fois, tu demandes si j'ai bien dormi. Je réponds, oui, qu'est-ce que tu veux que je te dise.

Je crois qu'il s'ennuie avec moi. Elsa est une bonne copine et une interlocutrice expressive, elle fait une tête drôle, qu'est-ce qu'il lui faut. Mais il faut dire que tu es complètement insupportable, madame couteau-dans-la-plaie. Sara ma copine psy m'avait prévenue de ça, que j'allais me trouver quelque part de l'autre côté d'un prisme qui serait mon livre, que je ne serais plus que le fantôme de ce que je raconte dans mes textes. Que la vie ne serait pas à la hauteur. Mais quelle connerie. M'a pas semblé qu'il te regardait comme un fantôme. Elle hésite et me pointe du doigt, par contre si tu t'avises de raconter ce que tu me dis là dans ton bouquin, faudra pas t'étonner après qu'il te prenne avec des pincettes.

Elsa est toujours de bon conseil, je trouve, à vrai dire c'est une des personnes les plus brillantes que je connaisse, petit génie prodigue. Parachutée à Istanbul avec pour toute préparation vingt heures d'Assimil *le Turc* faites dans l'avion qui lui ont permis de se mettre dans la poche toute la ville, connue pour écumer les bars et les salles de concert, boire comme quatre et être toujours fraîche et dispose le matin au boulot. Pendant que je l'écoute disséquer ma vie amoureuse je vide des bières et des bières, au bout d'un moment j'ai pas mal perdu le fil de ce qu'elle disait mais je suis sûre que ça tient la route, c'est lumineux même, il est deux heures du matin le bar ferme et elle dit, on est humains après tout.

J'encourage le petit chat tricolore qui zone en bas de l'immeuble à monter avec moi et il accepte de me suivre, il monte les escaliers à distance respectueuse de mon ascension titubante. Au deuxième étage, oubliant si je suis au deux ou au trois, je m'acharne sur la serrure avec ma clef mais ça ne risque pas de s'ouvrir puisque je ne suis pas au bon endroit. Ah si, ça s'ouvre, c'est le voisin qui n'a pas l'air très bien disposé. Je m'éclipse en faisant la révérence et je grimpe à mon étage, cette fois je sonne, j'aime mieux être sûre, voilà c'est bien là puisque c'est lui qui ouvre, tout petits yeux, je l'embrasse et je dis qu'il faut qu'on parle. Lui : Je ne crois pas, non. Il voit le chat derrière moi, mais c'est pas vrai. Il le raccompagne en bas, j'entends la porte de l'immeuble s'ouvrir et se fermer et les pas remonter les escaliers deux par deux, il a mon sac à la main que j'avais oublié sur le palier du deuxième, le dépose sur une chaise pendant que je m'efforce de tenir sur un pied pour enlever mes chaussures dignement, il me donne un verre d'eau. Si tu veux manger il y a des restes moi je retourne me coucher. Je me hisse sur le comptoir de la cuisine et je commence à résumer ce qu'Elsa m'a dit mais il ne veut rien entendre, il m'aide à enlever ma chaussure et va se laisser tomber sur le lit. L'appartement n'est pas si grand qu'il ne m'entende pas, et pas suffisamment insonorisé pour faire obstacle à mon bavardage dans le silence de la nuit. Je continue un peu toute seule, ce que je raconte n'a aucun sens ni en français ni en anglais. Plus de réponse. Je descends de mon perchoir, j'entre dans la chambre, j'allume. Il jure sur Allah, ce qui ne lui arrive pas si souvent, pose son bras en travers de son visage à cause de la lumière. Je m'assois tout près de lui et le touche du bout des doigts pour vérifier qu'il bouge encore, je tapote les tatouages – mon préféré, celui du mouton qui broute des brins de code-barres – je suis contente comme si j'avais une bonne nouvelle à annoncer, je dis qu'Elsa a vraiment tout compris de ce qui n'allait plus entre nous et que grâce à elle j'ai compris aussi, heureusement qu'elle est là, écoute ça : On est humains après tout. Il est gentil quand même, il ne se fâche pas, il pouffe de rire. Sans blague. Heureusement que vous êtes là toutes les deux, en effet. Il m'attrape par le poignet et me cale contre lui, je ne peux plus bouger, il dit, silence maintenant et s'endort aussitôt. Je ferme les yeux mais je dois me mordre la lèvre pour ne pas en rajouter, je me concentre pour compter les moutons en turc, en respirant aussi tranquillement, aussi profondément que lui.

Message : Tu passes au Muz ? J'ai un dessinateur pour toi, pour Hrant. C'est un ange, il est bon, il est drôle. Je regarde sur Internet le compte Instagram du Berkin en question. Le trait fin, anguleux, numérique ; un jeu sur la couleur flashy, rose, bleu, et un personnage récurrent probablement autofictif de dandy fumeur à grandes lunettes. Pas mal de dessins sensuels et ambigus, des *zennes*, ces danseurs du ventre qu'on engage pour les enterrements de vie de jeune fille, souvent de très jeunes hommes travestis. Une fresque attire mon attention, un tas de corps féminins alanguis, et le *zenne* debout devant elles. Ce pourrait être la minute avant la mort de Sardanapale, un Sardanapale version androgyne, en soutien-gorge vert fluo sur son torse épilé, la moue boudeuse et la mèche asymétrique. Je me demande ce que Hrant aurait pensé de ça.

Je descends prendre le ferry pour la rive européenne. Étonnamment depuis quelques semaines de nouveaux cireurs de chaussures se sont installés le long de l'embarcadère, formant une haie d'honneur pittoresque devant les restaurants de poisson, et se faisant une concurrence absurde. Quelle probabilité qu'il y ait du travail pour huit ou dix cireurs de chaussures au même endroit ? À croire qu'ils se sont fait virer des quartiers de la vieille ville, où d'habitude ils jouent tous le même petit jeu pour attraper les touristes (ils marchent en trimballant ostensiblement leur matériel lourd et encombrant, et quand ils croisent un étranger bien chaussé ils laissent négligemment tomber la brosse à reluire. Bien sûr la victime se précipite pour la ramasser et leur rendre, alors commence tout un sketch dont il est impossible de se déprendre jusqu'à ce que, chaussures cirées ou pas, le vendeur ait réussi à gagner deux ou trois livres). Mais essaie de faire ça avec les locaux pressés de prendre leur ferry à Kadıköy, c'est un coup à se prendre la brosse dans la figure.

Moi de toute manière je me balade en tongs, je ne les intéresse pas. J'attrape un petit pain au sésame à manger sur le bateau et me présente aux contrôles de police, ambiance Vigipirate. J'ai dans mon sac la biographie de Hrant Dink et une bouteille de rakı, ça ne suffit visiblement pas à rassurer la contrôleuse sur mon éventuelle affiliation à une entreprise djihadiste, elle prend son temps pour bien tout inspecter et je me retiens pour ne pas lui faire de remarque, elle serait capable de me faire rater le bateau.

Entre l'heure de sortie des bureaux et la nuit, il y a souvent des musiciens qui accompagnent la traversée, quand ce ne sont pas des vendeurs de matériel improbable, de l'épluche-légumes à la lampe solaire de jardin, et le boniment qui va avec bien sûr, le tout sous les écrans qui diffusent en boucle recettes de cuisine et vidéos de petits chats, destinées à distraire les passagers et éviter les crises de stress dans les transports. Deux chanteurs et une guitare ce soir, qui préfèrent profiter du coucher de soleil sur le pont avant plutôt que de jouer à l'intérieur, même s'il y a moins de monde. La lumière voudrait-elle tomber sur la ville sans se faire remarquer qu'elle n'y arriverait pas, quelque chose dans la *skyline*, les gratte-ciel, les minarets, la fait vriller et immanquablement alors que ça s'éteignait sans histoires, tout s'embrase. Un quart d'heure magique et puis comme si de rien, c'est la nuit. Je descends du bateau direction le funiculaire, en sortant sur la rue piétonne les grosses basses des bars ont déjà commencé à battre la mesure de ce quartier de plus en plus hystérique à mesure que la situation en ville se tend. Je mets mes écouteurs pour ne pas subir les dragueurs du début de soirée, ni les vendeurs de cocaïne. Devant le Muz on s'agite, les garçons se sont mis à quatre pour démonter la vitrine. Mais qu'est-ce que vous faites. Ils ont décidé de faire basculer le comptoir à l'arrière, plus près de la terrasse du fond, et de mettre en avant sur la rue les tables à dessiner, les trucs de design hors de prix qu'on n'espère plus vendre, depuis le temps, et un canapé pour les chats – et pour les gens aussi bien sûr, pourquoi pas.

Sur le mur en face de l'entrée du Muz, Georgi et sa femme ont sorti les pinceaux et tracent une nouvelle devise, en lettres capitales dansantes et en français : « Le seul moiyen d'affronter un monde sans liberté est de devenir si absolument libre qu'on fasse de sa propre existence un acte de révolte », Albert Camus. Tu veux bien me confirmer que ça veut dire quelque chose ? Je n'ai jamais eu trop confiance en Georgi quand il dit qu'il parle français. Je suis obligée de signaler une faute à « moiyen ». On ne manque pas de lettres inutiles en français, mais là il y a un *i* en trop. Georgi est vexé comme un pou.

Berkin est en train de prendre un café-cigarette avec Zehra, la peintre qui a réalisé la décoration du bar. Zehra fait les présentations. Berkin ressemble à ses dessins comme les vieux ressemblent à leur chien c'est amusant, on reconnaît sa silhouette, grand maigre, poseur, mais ce qu'on ne voit pas sur ses dessins c'est la peau tannée, sourcils fins et pattes d'oie qui soulignent des yeux incroyables, fendus entre les cils longs et noirs, d'un vert translucide. N'ignorant pas l'effet qu'il doit faire aux hommes comme aux femmes, il a la sociabilité facile et chaleureuse, générosité des riches. Viens on va tester ce nouveau canapé. Tout de suite je me sens adoptée. Il travaille pour *Ondört Muz*, le journal qui a republié après les attentats les dessins de *Charlie*, aujourd'hui poursuivi en justice pour ces dessins par ce même gouvernement qui a manifesté avec Hollande en janvier à Paris. Berkin s'en fout, tu sais, les aléas du politique avec la liberté d'expression... Je ne veux pas relativiser, mais simplement on ne peut rien y faire, c'est de l'arbitraire pur, impossible de prédire quand comment ni pourquoi soudainement ils s'énervent contre un journal qui n'a jamais eu aucun procès, aucune interdiction, et le réduisent en miettes. Sinon, il travaille en free-lance, contrepartie obligée du travail pour la presse indépendante, il faut bien que je vive, je fais la pute ; c'est pas toujours désagréable, d'ailleurs. Je me demande si j'ai bien compris qu'il a dit en minaudant que ce n'est pas toujours désagréable de faire la pute. En ce moment mon principal client est à Dubai – tout ce qui a du fric est à Dubai, non ? – cette espèce de faux pays sans culture qui se prend pour le maître du monde. Je dis qu'en français on a une expression qui dit justement, se prendre pour les rois du pétrole. Ha ha, ils sont cons les Français – j'aime bien, ça me fait rire. Alors comme ça tu as un projet sur Hrant ?

Il ne me laisse pas du tout expliquer quoi que ce soit, tant mieux. J'ai justement envie d'un travail au long cours, qui ait du sens, politique, historique. Hrant c'est parfait. Ne t'embête pas à me décrire des ambiances, des personnages. Fais juste les dialogues. Ce dont on a besoin, c'est d'un point de vue. Pas que sur Hrant d'ailleurs – ça c'est un projet qui va prendre son temps, il faut que tu tournes autour, que tu te familiarises. Mais on pourrait se faire la main sur une petite série qu'on publierait page à page dans le journal. Tu m'envoies des dialogues, bruts, des choses de l'actualité, de la vie quotidienne, de ta vision d'Istanbul, n'importe quoi qui fasse une scène ; on verra si j'arrive à m'en sortir en dessins. Je suis surprise qu'il soit tout de suite si confiant, si concret. Ton mec m'a dit que tu étais géniale, ça me suffit. Voilà autre chose. Il ajoute qu'il est en plein divorce, qu'il a bien essayé d'avoir une vie rangée mais à trente-cinq ans il ne veut plus se rendre malheureux : il aime les hommes. Ça ne marche pas à tous les coups. Je veux dire, je me suis marié quand j'étais jeune. Je voulais des enfants, moralité je me suis fait chier jusqu'à maintenant et j'ai même pas les gosses, quel échec.

Comment veux-tu avoir une relation profonde – élever des enfants, je n'en parle même pas – avec un type qui a grandi sans *Peau d'âne* de Jacques Demy, qui ne sait pas qui sont Mary Poppins ni Barbe-Bleue. Les contes turcs commencent par la formule « il fut, il ne fut pas » ; ça donne une idée du bouillon d'insécurité dans lequel baignent les rêves dans ce pays. Il fut, il ne fut pas un temps où deux vanniers travaillaient dur, mais l'un avait la foi et l'autre non. Un jour, le sultan vint au village et leur dit : « Je vais remplir vos paniers de blé. Si vous en prenez bien soin, ces graines se changeront en pièces d'or. » Cette histoire est racontée par Elif Şafak dans son roman *La Bâtarde d'Istanbul*, mais elle n'en donne pas le dénouement. Je me demande si le mécréant a jeté ses graines dans un sillon, ça m'arrangerait pour ma propre tambouille. Au lieu de cela, Elif Şafak raconte des histoires de pigeons, également laissées inachevées – dans le roman, le grand-père arménien, au moment d'être arrêté par la police, mettait la dernière main à un recueil de contes qu'il intitulerait : *Le Petit Pigeon égaré et la Contrée paisible*. Le héros en serait un volatile papillonnant de ville en ville pour récolter des histoires sur le point de sombrer dans l'oubli. D'après ce qu'en dit Şafak, « à une époque où l'Empire ottoman bouillonnait d'œuvres grandioses, de mouvements révolutionnaires et de divisions nationalistes, où la communauté arménienne avait soif d'idéologies nouvelles et de débats, [n'existait] pas le moindre recueil de contes pour enfants rédigé en arménien ». La contribution du patriarche à ce recueil serait d'ajouter un conte de son cru, l'histoire du protagoniste Petit Pigeon égaré. « Mais je te préviens, écrivit-il (dans l'histoire telle que racontée par Elif Şafak), si tu dis quoi que ce soit de triste, je m'envole. » Et c'est ici que le conteur est interrompu par l'Histoire avec sa grande hache.

« L'oiseau s'est envolé. Souhaitons la même chose aux quatre-vingts millions de Turcs qui restent », gazouille l'écrivain bâtisseur Sevan Nişanyan sur Twitter, lui dont l'emblème est l'escargot, qui avait fait construire une tour dédiée « à la stupidité du gouvernement turc », qui avait entrepris de réinvestir les anciens villages grecs abandonnés de la côte, près d'Éphèse, qui avait écopé de seize ans de prison et en aura bravement tiré trois et demi, avant de mettre les voiles en une évasion pleine de légèreté et d'ironie. Mandat d'arrêt international immédiat du gouvernement vexé, asile politique pour cet ancien chroniqueur d'*Agos* pas plus loin qu'en Grèce, dans l'île de Samos, si près de la côte turque que quand le ciel est clair, il peut apercevoir les collines de son village de Şirince…

Elsa me parle d'un livre qu'elle a traduit, de Pınar Selek, exilée depuis des années en France hors d'atteinte de l'acharnement de la justice turque, un conte dont Hrant et son cœur de pigeon inquiet serait le héros fantomatique. « Tout a commencé par la chute d'un jeune pigeon azuré frappé par une fronde. Il est tombé sans un cri [...] Un jeune garçon avançait vers le pigeon. Nous aurions pu voler et arracher la fronde, ou même le mettre à l'abri. Nous aurions pu essayer de le sauver tous ensemble, mais nous avions peur. » Le texte de Pınar est illustré de gravures d'une artiste française, Elvire Reboulet. Sur l'une d'elles, on voit une vieille femme, tête de sorcière, de gitane, de grand-mère, soulever les ailes du pigeon ressuscité. J'apprends que ce conte a été adapté au théâtre par le metteur en scène et activiste Mehmet Atak, sous le titre *Une fontaine de contes : le gouvernement ne tue pas qu'en volant des vies*. Je trouve facilement son contact, je lui écris en présentant rapidement, maladroitement, mon intérêt pour son travail. Il répond aussitôt, m'invite à prendre une bière, comment se fait-il qu'on ne se connaisse pas déjà ?

J'ai rêvé qu'un oiseau se pointait sur le balcon, une sorte de cigogne et plus je m'approchais plus elle rétrécissait et finalement je voyais sur sa patte un message enroulé, c'était de toi. Ça disait que tu étais désolé, que tu aurais aimé me le dire de vive voix : tu ne pourrais pas venir à mon enterrement. Il dormait tranquillement et je l'ai réveillé pour raconter, après un long silence il murmure, c'est pas faux, si tu devais être enterrée en France avec leurs conneries de visa je ne pourrais pas être là. Un ange passe.

J'écris à Berkin pour lui demander s'il est bon en dessins d'oiseaux. Il me renvoie un perroquet vert, joli, comme ceux qu'on voit dans le parc de Topkapı. Je dis que je veux faire un récit du point de vue des pigeons de la place Taksim. J'ai même un titre (intense sentiment de progresser à grands pas), *Dans l'inquiétude des chants de pigeons*, subtile référence au dernier éditorial de Hrant et à la pièce de Koltès. Tu vois ? Il demande si j'ai bu, auquel cas c'est amusant et il me souhaite bon rétablissement. Au passage, sache qu'en turc, pigeon, tourterelle et colombe c'est un peu pareil ; mais selon toute probabilité, Hrant dans son dernier texte faisait référence à un sympathique symbole de paix, plutôt qu'aux ramasse-miettes de Taksim ; sur quoi, il m'encourage à réfléchir encore un peu.

Tu vas écrire sur Hrant alors ? Sur Hrant, sur Naji, sur toi. Soupir. Ce serait trop te demander de me laisser en dehors de ça ? Si tu veux mon avis (je fais non de la tête) tu n'as pas besoin de ce détour pour comprendre ce qui nous arrive, tu pourrais aussi bien le voir directement. Au lieu de quoi tu ajoutes des écrans de morts aux vivants pour te planquer, tu n'iras nulle part avec tous ces boulets au pied. Mais précisément, je dis, je ne veux aller nulle part. Je reste ici.

Tu as vu la caricature dans *Charlie Hebdo* ? Comme si je pouvais être à ce point coupée du monde que le déferlement d'Internet ne m'atteigne pas. Je n'entends parler que de ça depuis deux jours. Et ? Et rien, je trouve le dessin anecdotique, et les réactions dingues, comme d'habitude. C'est quoi ce dessin, je n'ai pas compris. Des pennes, des lasagnes… ? Ils ont représenté les morts du tremblement de terre en Italie écrabouillés en lasagnes. Désolé mais moi je trouve ça horrible, hyper offensant. Ah bon. Metin cherche sur son mobile le dessin en question. Qu'est-ce qui est offensant, les lasagnes ? Mais mets-toi à la place des familles des victimes qui voient leurs proches en bouillie caricaturés en lasagnes. Crois-moi, les familles des victimes ont autre chose à faire qu'être sur Twitter à se demander si c'est offensant ou pas les lasagnes. Si les journalistes ne se précipitaient pas dans les décombres pour leur montrer les dessins et les faire réagir, ils n'en penseraient rien. On peut savoir ce qui te fait rire ? Si tu répètes trop souvent *lasagnes* dans la même phrase ça fait drôle, j'y peux rien, c'est nerveux. On aurait dit quoi si les gens s'étaient marrés après le massacre de *Charlie* ? Je hausse les épaules, comme si certains s'étaient privés. Tu crois vraiment que rire de tout c'est signe d'humanité ? Il y a des rires qui m'effraient moi. Bahçeli, sors de ce corps. C'est qui, Bahçeli ? Le président du parti d'extrême droite : personne, personne sur terre ne l'a jamais vu rire. En cachette il doit quand même rigoler parfois. De quoi, c'est le mystère. Ah si, je suis sûr qu'il a ri le jour où Hrant a été assassiné – mais j'imagine qu'à *Charlie* aussi, ils ont trouvé ça marrant.

La question est intéressante. J'interroge John, le maître des archives de *Charlie*, qui m'envoie les trois numéros qui ont suivi l'assassinat de Hrant. Dans le premier, daté du 22 janvier 2007, je trouve une brève, factuelle, se trompant sur la date de sa mort et ironisant sur les théories complotistes qui fleurissaient déjà dans les médias turcs, selon lesquelles « les ennemis de la Turquie » avaient fait régner un climat de « provocation » dans le pays. Quelques pages plus loin, la chronique de Siné commence par un florilège de coupures de presse sur les accidents de chasse dont il se délecte (« Ces gros cons le font exprès pour me faire plaisir, ma parole ! ») pour dessiner ensuite, sans transition, un oiseau mort, presque un Shadok les pattes en l'air, trois trous sanglants au côté droit. Les lettres rondes de Siné flottent autour du corps. « "Mon état d'âme est celui d'un pigeon inquiet", écrivait la semaine dernière le journaliste Hrant Dink, d'origine arménienne, dans son hebdomadaire qu'il avait fondé en Turquie il y dix ans. Il avait le nez creux : des chasseurs, issus probablement de milieux nationalistes turcs, viennent de le plomber de trois balles pour lui apprendre à ne plus évoquer le génocide arménien. »

Les numéros suivants n'en parlent pas davantage, et pour cause. Les fichiers que m'envoie John sont labellisés « procès ». *Charlie* comparaissait cette semaine-là auprès de la 17e chambre pour incitation à la haine raciale, à cause des caricatures danoises de Mahomet. Dans son éditorial, Philippe Val renouvelait ses vœux de confiance dans les institutions de la République pour protéger la liberté d'expression – tout en rappelant qu'il vivait depuis des mois, comme d'autres membres du journal, sous protection policière à cause de menaces incessantes. Cavanna (ce journal que je feuillette, qui n'a pas dix ans d'âge, est un tombeau ouvert d'où s'échappent encore des voix familières) écrit quelques pages plus loin : « Devant l'impudence de l'ingérence religieuse et la violence de la menace, *Charlie Hebdo*, unanime, a décidé de manifester sa solidarité. Nous étions persuadés que nos confrères, en France et dans le monde, allaient tous, d'un seul mouvement, en faire autant. Dois-je dire que nous avons été plutôt déçus ? Geste symbolique, certes, les caricatures étant fort mauvaises, d'esprit comme de talent, mais les menaces n'étaient pas du ressort de la critique d'art [...] Devons-nous faire confiance à la justice de notre pays ? Je vous dirai ça la semaine prochaine... Mais, j'y pense : vous savez déjà ! »

Je croyais que la campagne de haine contre Hrant avait commencé après la publication dans *Agos* d'un témoignage supposant que Sabiha Gökçen, une des filles adoptives d'Atatürk, une icône nationale, première femme pilote de l'air, Sabiha Gökçen la protégée du premier président de la République, était une rescapée du génocide arménien. De ceux qu'on appelle « les restes de l'épée ». Quand j'explique ça à Elsa elle lève les bras au ciel, mais quel besoin de publier ça aussi. Hrant, convoqué et sévèrement mis en garde après la publication de telles « provocations », s'était justifié auprès du procureur d'Istanbul en disant qu'il ne voulait pas aborder la question arménienne en Turquie uniquement pour parler des morts, mais qu'il voulait aussi savoir ce qu'il était advenu des survivants et plus précisément, plus intimement, des orphelins. *Agos*, dès les premières années, avait été le réceptacle de témoignages de descendants d'Arméniens recherchant leur famille dont ils avaient perdu la trace depuis des décennies. C'est ainsi qu'à la mort de sa grand-mère, ayant appris que contrairement à ce qu'elle avait toujours cru, elle héritait d'une généalogie décimée, l'avocate Fethiye Çetin a fait paraître dans *Agos* un avis de décès racontant brièvement ce qu'elle savait de son histoire et espérant retrouver ses parents exilés. Il n'avait pas fallu longtemps pour que cette bouteille traverse l'océan et que Hrant rappelle Fethiye, « Peux-tu passer au journal ? Tes proches d'Amérique ont appelé ». Ce seraient les prémices du *Livre de ma grand-mère*, énorme succès de librairie et prise de conscience pour toute cette génération des années 2000 des itinéraires jusque-là tabous des restes de l'épée, ouvrant la voix à d'autres récits, celui de la famille de Jean Kehayan raconté quelques années plus tard dans *L'Apatrie*, sa mère nouvelle-née laissée pour morte dans le désert syrien, enterrée près d'une oasis où une jeep de missionnaires la trouverait à temps, « le bébé Guldéné ressuscité pour être adopté par une famille de Kurdes, avant de rejoindre un orphelinat d'Alep tenu par des quakers »... Ou comme la nourrice d'Iştar, voilà une histoire pour toi me dit Iştar en plein dîner, le doigt pointé vers moi comme une sommation : elle s'appelait Mariam (comme ma mère tiens, ça commence bien ; toute la table se tourne vers moi, tu es arménienne aussi ? Comme si la moitié des femmes de Méditerranée ne s'appelait pas plus ou moins Mariam). Elle avait perdu sa fille pendant les longues marches de la mort à travers l'Anatolie, en 1915. Grâce à elle, dit Iştar, contrairement aux enfants de ma génération, à dix ans je savais tout des massacres des Arméniens ; et crois-moi dans les années 1950 à Ankara nous n'étions pas nombreux, parmi les Turcs même éduqués, à savoir quoi que ce soit sur cette histoire. Mariam est morte à la fin des années 1970. Quelques années plus tard, mes parents ont eu la visite de la police. Nous avions reçu une lettre d'Arménie – à l'époque, aucune communication n'était possible avec l'Arménie. La police l'avait traduite avant de nous l'apporter. C'était la fille de Mariam qui avait finalement, enfin, trop tard, retrouvé la trace de sa mère. Je te dis ça pour que tu comprennes : Hrant a ouvert la boîte de Pandore. Il n'était pas comme les autres Arméniens qui avaient vécu toutes ces années sans oser parler. Lui ne voulait plus être du peuple des insectes qui se cachent, de ceux qui ne veulent pas savoir.

Hrant aimait à se remémorer cette histoire d'Abdullah le Lézard, resté dans son village malgré les déportations, se fondant parmi la population locale. Jusqu'au jour où quelqu'un le vit uriner contre un mur, et répandit la rumeur qu'il n'était pas circoncis. La meute vient le traquer jusque chez lui. Il se terre. On l'encercle, on crie qu'il n'est pas des nôtres, qu'il n'est pas des leurs (je ne sais plus comment il faut dire). Un voisin s'interpose, essaie de calmer le jeu, entre dans la tanière pour tendre la main au bouc émissaire. Il récolte un bout de chair sanglant. Il ressort et demande qu'on laisse en paix Abdullah le Lézard circoncis par la peur. Peut-être alors, cette fois-là, le groupe comprend qu'il a été trop loin. Une autre fable hante la mémoire de Hrant, une histoire racontée par son frère qui la tient d'on ne sait plus où. En ces mêmes temps de chasse à l'homme, un paysan arménien s'apprête à abandonner sa ferme, puisqu'on lui commande de partir. C'est bientôt le printemps et sa batteuse est cassée, il veut absolument la réparer avant de partir. Un voisin lui demande pourquoi il s'obstine, puisqu'il part probablement pour toujours. L'Arménien répond qu'il a semé, et qu'il y aura bien quelqu'un qui viendra récolter. Voulez-vous que celui qui sera en charge du battage du blé trouve une machine qui ne fonctionne pas ? « Où est-elle, cette batteuse, nous demande Hrant dans un texte posthume. Retrouvons-la, réparons-la pour commencer. »

Quand je l'interroge à son tour, Yetvart Danzikian, l'actuel directeur d'*Agos*, sourit du chemin parcouru depuis le scandale Sabiha Gökçen, en 2004. À l'époque Atatürk et l'armée, c'était quelque chose ! Aujourd'hui tu vois ce que le gouvernement fait de ces symboles de la République. D'ailleurs le président Erdoğan lui-même s'est excusé officiellement pour les massacres du Dersim auxquels a participé Sabiha Gökçen, quand il a trouvé utile de faire d'une pierre deux coups, un geste en direction des Kurdes et une balle dans le pied des héritiers d'Atatürk. Je suis sûr qu'aujourd'hui on pourrait dire à peu près ce qu'on veut sur Sabiha, qu'elle était arménienne, grecque, juive même ! Ça passerait comme une lettre à la poste. Je demande si juive c'est pire qu'arménienne pour les nationalistes. Yetvart hésite, se ravise, non, quand même pas. Arménienne reste l'insulte suprême.

En fait, je suis à côté de la plaque. Enfin oui, l'affaire Sabiha a été une rupture, mais ce qui a mis le feu aux poudres c'était un autre article paru dans *Agos*, une série de Hrant sur l'identité arménienne. Six textes dont l'un, sorti de son contexte et instrumentalisé, ferait de son auteur l'ennemi public numéro un. Hrant pointait le fait que la figure maléfique du Turc, dans l'imaginaire de la diaspora en particulier, était le pilier de l'identité arménienne – et qu'il fallait d'urgence se débarrasser de ce poison et laisser la jeune Arménie indépendante irriguer d'un sang neuf le socle commun de la communauté dispersée de par le monde. Je relis la phrase dont l'allégorie est assez alambiquée, c'est une reformulation d'une phrase d'Atatürk sur le sang glorieux de la race turque, je ne suis pas sûre de bien comprendre mais de toute évidence il fallait être d'assez mauvaise foi pour y voir un appel à répandre manu militari le sang impur des Turcs. Sauf que de mauvaise foi on ne manqua pas, car malgré les explications données par Hrant, le contexte sans ambiguïté du journal consacré à la coexistence pacifique des communautés, malgré les analyses de texte commandées à divers spécialistes, rien n'y fit, l'accusation de racisme persista. En 2010, trois ans après la mort de Hrant, le gouvernement turc interrogé par la Cour européenne des droits de l'homme n'avait pas évolué d'un iota dans son interprétation, remarqua la fameuse linguiste Necmiye Alpay dans un article tentant de rétablir la vérité : « La défense du meurtrier et celle du gouvernement turc sont basées sur la même accusation ! [...] Le devoir d'un lecteur est d'être honnête vis-à-vis du texte et de l'auteur. » Mais de constater, non sans lassitude, que « les écrits contenant de l'ironie, des métaphores et des expressions imagées sont moins susceptibles d'être compris. En particulier quand on a des préjugés, ou quand on manque de bon sens »...

Hrant n'a pas perçu que ce serait si grave pour la suite. Il s'est même félicité d'avoir réussi à se mettre à dos à la fois les nationalistes arméniens et les nationalistes turcs. Un journaliste a jeté la première pierre, en retournant le propos de Hrant, s'indignant contre cette expression de « poison turc » dans le sang arménien qu'il faudrait purifier, et dans son sillage se sont engouffrés des leaders politiques qui en ont rajouté une couche. Les manifestations ont commencé devant *Agos*, une première fois, puis une deuxième, menées par un ultranationaliste qui n'allait plus lâcher Hrant jusqu'à la tombe. Ils ont déposé devant le journal une couronne mortuaire, à peu près à l'emplacement où Hrant serait assassiné. Et la police n'a rien fait, et la presse n'en a pas parlé – à part *Özgür Gündem*, ce journal prokurde qui n'attendrait pas 2016 pour être l'empêcheur de tourner en dictature du gouvernement, et quelques personnalités isolées, Aslı Erdoğan dont aujourd'hui plus personne n'ignore le nom et qu'on reconnaît sur une photo prise en 2006 dans les locaux d'*Agos* entre deux manifestations, aux côtés de Hrant ; derrière l'appareil photo se trouvait Erdal Doğan, l'avocat qui défendait Hrant et qui plus de dix ans plus tard défendrait Aslı. Décidément, par quelque bout que je prenne cette histoire, je retombe toujours sur les mêmes personnes ;

comme ils étaient peu, combien l'absence de l'un doit dépeupler leur monde, et les faire se sentir orphelins. Aslı écrivit, devant l'immense vague de solidarité que la mort de Hrant déclencha en Turquie : « Étions-nous vraiment si nombreux ? Alors pourquoi nous sentions-nous si seuls depuis tant d'années ? Pourquoi avions-nous passé autant de temps dans cette solitude qui nous avait été imposée ? J'aurais tellement voulu que ce qui nous rassemble ne soit pas un assassinat. J'aurais tant voulu qu'en nous retournant vers la vie, nos vies respectives, on ne trouve pas autant de défaites, autant de déceptions, de désillusions. » Cet article, publié par la presse turque, fut envoyé à divers journaux européens, français, allemands qui ne saisirent pas la perche tendue. Seul un journal belge l'a repris, dans une version abrégée. Il faudra attendre dix ans, que la machine se referme à son tour sur Aslı, pour qu'on voie enfin se lever à l'étranger ce mouvement de solidarité qu'elle appelait de ses vœux et qui l'accompagnera pendant les quatre mois de sa détention en 2016 avec Necmiye Alpay, à la prison pour femmes de Bakırköy.

Bakırköy est ce quartier périphérique d'Istanbul, résidence de nombre d'immigrés récents de la mégapole, accueillant, excentré, peu cher, qui abrite entre autres un hôpital psychiatrique, un tribunal, une prison, et une maison d'édition turque-arménienne créée en 1996 par Hrant et ses frères, jumelée avec une librairie dédiée aux minorités de Turquie baptisée *Beyaz Adam*, « L'Homme blanc ». Sans aucune expérience dans l'édition, ni dans la librairie – mais il avait déjà à son actif une bijouterie baptisée du nom de sa femme, Rakel, et une flopée de commerces éclectiques qui prêteraient à sourire, s'ils ne rappelaient que cet homme qui venait de rien aurait pu devenir n'importe quoi d'autre que le porte-parole le plus emblématique et le plus exposé de la cause arménienne. À bord du ferry de la mer de Marmara, population mélangée, des gens qui vont à l'aéroport Atatürk, des travailleurs qui font la grande traversée sur la mer souvent agitée de ce côté. On longe la rive sublime de la vieille ville, Sainte-Sophie et la Mosquée bleue nous snobent ; et Yenikapı, l'ancienne « nouvelle porte » de Constantinople, aujourd'hui largement dépassée par le développement tentaculaire de l'agglomération ; notre frêle esquif double les cargos immenses qui stationnent à l'embouchure du Bosphore. Au bout du quai de Bakırköy un restaurant de poisson chic, une marina. Une pâtisserie kurde, des hommes qui jouent au backgammon en terrasse, des rues commerçantes. On se croirait ailleurs, en Europe de l'Est peut-être, dans une bourgade balnéaire. Je me dirige au hasard dans les rues du centre-ville, tout me semble ennuyeux et moche et provincial, y compris cette vitrine bourrée de produits dérivés en plastique criard entre deux affiches géantes de promotion pour le dernier livre d'Elif Şafak, c'est une librairie ça ? Le logo représente curieusement un âne en train de lire, de trois quarts dos, il montre ostensiblement son cul. Ne me dites pas que cet endroit est la librairie de Hrant Dink. J'entre, je reconnais les lieux, j'ai vu dans sa biographie une photo de Hrant assis sur un tabouret haut comme ceux sur lesquels sont assises les vendeuses rivées à leur téléphone portable. Sur ma photo il a les bras croisés, on voit qu'il est en conversation avec quelqu'un hors champ, les étagères derrière lui sont encombrées de livres mal rangés. Aujourd'hui, c'est plus ordonné. Il n'y a pas grand monde à l'étage littérature. Les best-sellers du moment. Quelques traductions de Georges Bataille, de Bernard Lewis. Au rayon des «publications ethniques», un échantillonnage des livres de et sur Hrant, même pas complet. Quelques versions en arménien, aucune en anglais. En sortant, manger un kebab dans un café kitsch où les hommes à moustache déjeunent sans regarder leur assiette, le nez levé vers la télé qui passe des clips, avant de reprendre le ferry dans l'autre sens avec les voyageurs en transit entre l'aéroport Atatürk – promis à une fermeture prochaine, pour être remplacé par un nouveau, le grand projet du sultan Erdoğan, ce qui sera le plus grand aéroport du monde et enterrera définitivement Atatürk – et celui, également saturé, de la rive asiatique. Proche de Tuzla où Hrant et Rakel ont passé les meilleures années de leur vie, l'aéroport low cost d'Istanbul porte le nom de l'orpheline par qui le scandale Dink est arrivé : Sabiha Gökçen.

Une photo à Tuzla dans les années 1980 : Hrant et Rakel posent avec une dizaine de fillettes au bord d'un bassin aux nénuphars, un jardin verdoyant aux plantes quasi exotiques, les briques en quinconce blanches et rouges du bâtiment derrière. Ces mêmes briques qui n'ont pas bougé, mais changé de couleur, sur une photo prise au même endroit en 2015, lors d'un concert de soutien au camp menacé de destruction définitive et pour lequel se mobilisèrent nombre d'activistes, les mêmes qu'à Gezi, s'accrochant aux vestiges urbains du multiculturalisme d'Istanbul. Je reconnais les musiciens : c'est ce trio de blues oriental avec la chanteuse irradiante, l'accordéoniste flou. Ça ne m'étonne pas de les voir là. Sur un mur du camp, un tag, le visage de Hrant de trois quarts, la même photo que sur le livre de Tuba Çandar utilisée en pochoir, sur fond de montagnes, d'oiseaux, avec un panneau : Kamp Armen. Et une citation tirée d'un texte de Hrant : « Il n'est pas dans ma nature d'abandonner les flammes de l'enfer pour rejoindre la douceur du paradis. Je fais partie de ces hommes qui se sont fixé pour but de transformer en paradis l'enfer dans lequel nous vivons. »

À Tuzla dans les années 1960-1970 Hrant, ses frères et leurs petits camarades ont bâti de leurs mains ce camp d'été – ils racontent comme une blague que la colonie de vacances des gamins de l'orphelinat n'était pas tout à fait *ready made*. Ils ont passé des mois à faire du ciment, monter des murs, aménager le jardin, regardant de l'autre côté de la barrière une autre école qui elle avait les moyens d'être un vrai lieu de vacances pour les enfants, mais malgré cela (sans doute, évidemment, grâce à cela), c'est devenu leur Atlantide. Pour couronner le tout, la légende que nul témoignage ne vient démentir, c'est à Tuzla qu'à quinze ans Hrant est tombé amoureux de la toute jeune Rakel. À Tuzla qu'ils se sont mariés, à Tuzla qu'ils ont eu leurs enfants. Entre-temps, le directeur du camp avait été jeté en prison et Hrant et Rakel ont pris la relève. Puis ce fut au tour de Hrant de faire un tour dans les geôles turques, avec son frère, accusés après le coup d'État de 1980 d'être proches des mouvances radicales marxistes arméniennes. Enfermés pendant des semaines dans des toilettes aménagées en cellule de moins d'un mètre carré, battus, forcés de chanter nuit et jour, sans arrêt, l'hymne national. « Il est quand même difficile de croire que ces hommes pensaient ainsi nous enseigner l'amour du pays, écrivit-il plus tard. Ni en ce temps-là, ni aujourd'hui, ni demain, nous ne sommes de ceux que l'on peut forcer à apprendre l'hymne national dans les toilettes. »

Un roman terrifiant publié il y a peu par le jeune Hakan Günday met en scène un geôlier dégénéré qui garde au « dépôt » des dizaines de migrants clandestins, attendant sous terre et à sa merci le bon vouloir des passeurs pour peut-être traverser la Méditerranée. Trauma tristement collectif, le bourreau d'Hakan Günday, alors que ses prisonniers désespérés s'entretuent et pataugent dans leurs propres excréments, leur chantonne l'hymne national. « Et la nation du dépôt finit comme elle avait commencé, dit Hakan Günday : au son de la *Marche de l'Indépendance* » – que les petits Turcs chantent encore en ligne dans la cour de l'école tous les lundis et vendredis.

N'aie pas peur, ce drapeau carmin flottant aux premières lueurs de l'aube ne disparaîtra pas
Tant que le dernier foyer de ma patrie sera allumé
Il représente l'étoile de mon peuple, elle scintillera pour toujours
Il m'appartient, il n'appartient qu'à ma nation.

Ne me renie pas, ô croissant chéri, je peux donner ma vie pour toi.
Souris enfin à ma race héroïque ! Pourquoi cette violence, cette rage
Tout le sang qui a coulé pour toi ne mérite pas cela
Justice, l'indépendance de ma race qui croit au droit et à Dieu !

Depuis toujours, j'ai vécu libre, et je vivrai libre
Qui est le fou qui voudrait m'enchaîner ? Je le défie
Je deviendrai un torrent rugissant, franchissant mes obstacles en les anéantissant
Je briserai les montagnes, je sortirai de mon lit, je déborderai.

Même si le monde occidental encercle mes fortifications

Mes frontières sont aussi solides que ma foi et ma fierté
Tu es forte, n'aie crainte ! Comment une telle foi pourrait-elle être étouffée
Par ce monstre édenté que tu appelles la « civilisation » ?

Camarade ! Ne laisse surtout pas les infâmes entrer dans mon pays
Fais barrière de ton corps, qu'on arrête cette invasion honteuse
L'Éternel va te faire revenir aux beaux jours qu'il t'a promis
Qui sait ? Peut-être demain ? Peut-être encore avant ?

La terre que tu foules n'est pas une simple « terre », apprends à la connaître
Pense au nombre de personnes qui y ont laissé leur vie
Ton père était un martyr, n'abîme pas sa triste mémoire
Même pour tout l'or du monde, ne cède pas ta patrie chérie.

Qui ne donnerait pas sa vie pour cette patrie chérie ?
Si tu presses cette terre, il va en jaillir des martyrs, oui des martyrs !
Que Dieu prenne ma vie, mon amour, tout ce que je suis,
Tant qu'il ne me sépare pas de ma patrie.

Ô Dieu tout puissant, un seul souhait de mon coeur meurtri:
Que des mains païennes ne s'approchent pas de nos temples
Les prières et les martyrs de notre religion
Doivent pour toujours résonner et régner sur ma patrie.

Que ma pierre tombale, s'il en est une, se prosterne mille fois
en extase,
De chacune de mes blessures, divinement, que mon sang jaillisse
Et que mon corps sans vie brûle au coeur de la terre, comme
une âme éternelle
Alors peut-être enfin, ma tête s'élèvera-t-elle jusqu'aux cieux

Ondule, flotte aux première lumières de l'aube, ô croissant sacré
Pour que chaque goutte de mon sang versé soit béni!
Vous ne tomberez jamais, toi et ma race
Justice, la souveraineté de ce drapeau
Justice, l'indépendance de ma race qui croit au droit et à Dieu!

D'après la traductrice Dominique Eddé, Hrant aborde son lecteur non comme une personne qu'il lui faut convaincre, mais comme deux personnes en désaccord qu'il cherche à rapprocher. Karin Karakaşlı, sa collaboratrice de la première heure à *Agos*, dit qu'il a « inventé une langue qui de part et d'autre prend le nationalisme à la gorge ». Je bouquine toutes les traductions que je trouve, en anglais et en français, en terrasse de mes cafés habituels et m'attire souvent la sympathie émue de mes voisins et des serveurs. Il n'y a guère qu'Erol, vendeur de souvenirs voisin du Muz, qui ne cache pas sa déception. Si tu écris sur Hrant tu n'auras pas de place pour me donner un rôle alors, tu m'avais pourtant promis. Je demande s'il a des histoires à me raconter sur Hrant mais il hausse les épaules, moi je ne suis qu'un modeste commerçant. Je dis que Hrant a aussi eu une ribambelle de commerces, avant de se lancer dans le journalisme, mais Erol ne veut pas un rôle dans un livre sur Hrant. Je me souviens du jour où j'ai appris sa mort à la télé, je ne savais pas qui c'était, mais j'ai entendu que c'était un journaliste arménien tué par un Turc et crois-moi, c'est la première fois de ma vie que je me sentais aussi turc, aussi honteux d'être turc. Je veux bien un rôle de méchant, mais dans une fiction, ton truc c'est trop notre vie. Le magasin de souvenirs d'Erol essaie d'épouser le changement de l'air du temps, les Occidentaux se font rares, en partie remplacés par des touristes du Golfe qui achètent en plus des traditionnels savons, serviettes, magnets et bibelots, des calligraphies qu'Erol ne sait même pas déchiffrer mais qu'il vend comme authentiquement turques. Je pourrais vendre n'importe quoi dit-il, si ça me permettait de me libérer un peu de temps pour faire de la moto avec mes copains. Je demande pour qui il vote, il botte en touche, moi je ne fais pas de politique, je suis pour la paix et que chacun respecte les autres, c'est tout. Il est bien obligé d'en faire un peu, je pense notamment à ce Syrien qu'il avait embauché et à qui il a dû demander de partir. Il voulait faire ses prières et il a tout à fait le droit, se défend Erol, mais il ne pouvait pas abandonner le magasin comme ça sans prévenir. Et puis il emmerdait les gens du Muz parce que la musique était trop forte, c'était pas possible. Dommage, parce que c'était bien d'avoir un arabophone pour les clients, mais il y a toujours des problèmes, avec les gens du Moyen-Orient. J'éclate de rire en l'entendant dire ça, mais il ne voit pas ce qu'il a dit de drôle ; c'est l'Europe ici, je te signale. « La différence entre l'Orient et l'Occident, écrit Hakan Günday, c'est la Turquie. Je ne sais pas si elle est le résultat de la soustraction, mais je sais que la distance qui les sépare est grande comme elle. » Et dans cet intervalle, comme dans tous, prospère une troisième voie sans laquelle l'Europe ne serait pas l'Europe, et regarderait le Moyen-Orient comme un uniforme, illisible fatras. Erol a essayé de débaucher Fares, qui n'en peut plus de faire des cafés au Muz, mais Fares a refusé tout net les conditions, le salaire ridicule pour douze heures quotidiennes six jours par semaine, le manque d'intérêt total du travail. Et pourquoi pas cirer les pompes des Émiratis aussi, tant qu'on y est. Erol comprend bien mais ne peut que regretter, bien sûr lui aussi préférerait avoir un garage de vieilles bécanes. Et habiter vers Izmir aussi, passer la journée à ne rien faire comme toi tant qu'on y est, vivre la *dolce vita*. Je me demande bien ce que vous lui trouvez à cette ville, moi si je n'étais pas bloqué ici je serais loin. Si j'avais une copine étrangère, sûr, je l'épouserais et on partirait en Europe. Tu vois le problème pour ton livre c'est que moi je n'ai aucune intention de crever pour ce pays.

La femme d'Erol entre dans l'arrière-cour dans laquelle nous discutons au calme, me fusille du regard, elle débarrasse nos verres à thé, façon ostensiblement polie de me mettre dehors, ce dont elle se défend en proposant mille fois que j'en prenne un autre, mais puisque j'insiste pour partir maintenant malgré la pluie elle m'offre un henné, elle place une boule de pâte au creux de ma main, me dit de planter mes ongles dedans et de la garder serrée, aussi longtemps que possible. À la couleur de tes doigts après, on peut savoir que tu es une femme fidèle. Je sors sous la pluie le henné dans la main, la nuit qui tombe, je repasse par la rue du Muz qui dégouline sinistrement. Je suis déjà trempée, la grille du Muz est fermée mais je vois qu'il y a encore de la lumière à l'étage, aucune envie de marcher jusqu'aux bus collectifs qui me ramèneraient en Asie. J'appelle en essuyant le maquillage qui a probablement coulé. La voix qui me répond est altérée, il dit qu'il va m'expliquer mais qu'il ne peut pas descendre, qu'il va jeter les clefs par la fenêtre. Il ajoute, gravement, mais je crois avoir mal compris, j'espère que je ne vais pas me jeter avec les clefs. La fenêtre s'ouvre, les clefs jaillissent, un miracle qu'elles ne tombent pas sur l'auvent. Je les ramasse dans le caniveau, je monte à l'étage réservé aux employés et un grognement m'accueille du fond de la pièce, le bruit d'un corps qui s'avachit. J'enlève mes chaussures trempées, je grimace en passant devant le miroir. Il est assis au bord du canapé, livide, il regarde ses pieds. Qu'est-ce qui se passe. Je ne sais pas trop, dit-il, j'avais envie de me vider la tête, j'ai pris des trucs. Ça ne va pas du tout du tout. Je passe la main sur son front, trempé et glacial. Qu'est-ce que je peux faire, je sers un verre d'eau, j'ai du Doliprane mais le temps que je me débarrasse de cette stupide boule de henné qui m'a fait les doigts écarlates, il s'est allongé. Je m'accroupis face à lui, le verre d'eau à la main, j'hésite à appeler le médecin ; mais quel médecin, avec mes trois mots de turc, et sans savoir ce qu'il a pris. Qu'est-ce que tu regardes, murmure-t-il. Il dit que son cerveau va tellement vite, qu'il ne peut plus l'arrêter. Que ça doit être ça, quand on dit qu'on voit toute sa vie défiler : je vais crever. Au moins je n'aurai pas à quitter le pays… Il hésite, renonce à finir sa phrase. C'est dommage de mourir maintenant, mon frère devait passer demain matin. Il marmonne encore qu'il est désolé que j'assiste à ça, mais c'est quand même mieux que de m'avoir laissée sous la pluie, non. Je confirme, il a l'air rassuré. Il était tellement stressé à l'idée de mourir avant que je sois à l'abri que je me sens obligée de dire quand même que s'il était mort je ne lui en aurais pas voulu pour la pluie. Il soupire comme si je venais de lui donner l'extrême-onction. Quelle *drama queen* je dis en caressant son front d'enfant. Viens te coucher, j'ai froid.

Je me glisse contre lui, il baragouine un mélange incompréhensible de turc et d'anglais, et puis se tait. Quelques minutes de silence total, je pose la main sur son torse, il sursaute, comme si j'allais l'étrangler. Quoi encore. Je voulais vérifier que tu respirais encore. Ça ne veut rien dire, siffle-t-il en replongeant instantanément dans le coma. Il ne lâche pas ma main, les minutes passent ; il reprend conscience, remonte mon bras laborieusement, comme l'ascension d'une longue route, et puis arrivant à la manche : Déshabille-toi. Ça devient amusant, j'aimerais bien voir ça qu'il me fasse l'amour dans son état, j'obéis. Complètement halluciné, il dit qu'il me voit maintenant en plusieurs exemplaires et ça le ramène à la vie, quelle chance, un plan à trois je ne peux pas laisser passer ça. Aussi bavard qu'inintelligible. Il se lève ; à peine posé le pied par terre il s'effondre. Il se marre, je ne tiens pas debout, incroyable, me demande d'aller chercher ses clopes, je dis, tu te fous de moi, tu ne vas pas fumer par-dessus le marché. Mais si. Il se hisse et s'assoit sur le rebord du canapé comme d'une falaise, allume avec une grande prudence sa cigarette, me demande de rester à distance respectueuse pour qu'il ne me brûle pas. Il fait très très attention à ne pas mettre le feu au canapé non plus, ni aux meubles, attention attention. J'adore cette fantaisie maniérée, il rit aussi sans avoir l'air de comprendre ce qui est drôle, arrête de te moquer, je suis en train de crever. Il a dans le regard une joie pas vue depuis longtemps, m'attrape le pied, embrasse les genoux, les hanches, le sexe, viens là je veux faire l'amour.

Quand je me réveille le lendemain il est bien midi, et je suis seule. S'il n'y avait pas le verre d'eau et le Doliprane encore sur la table basse je croirais que c'est moi qui ai déliré. Mais j'ai encore à fleur de peau la sensation très précise de l'étreinte de la nuit. Je me dis que si par hasard – on n'est plus à ça près – je tombais enceinte de cette nuit, je le garderais. Il nous ressemblerait, ce môme surgi d'un entre-deux de la conscience.

Je descends d'un étage, ils sont quatre accoudés au comptoir, m'accueillent avec des mines réjouies et un peu goguenardes, amicales. Je dis qu'il a meilleure mine qu'hier soir, il essaie de rester sérieux mais ça se voit qu'il est encore un peu pompette. J'ai un doute, je demande, tu te souviens de ce qui s'est passé hier au moins ? Il prend le ciel à témoin, Dieu merci, oui. Bombe le torse et se rengorge comme un enfant, j'étais vachement bien, non ?

Le ramadan à peine commencé on sent bien que cette année ce ne sera pas drôle. Juin c'est le pire moment de l'année pour jeûner, les jours sont au plus long et il fait une chaleur pas possible ; ça va être tendu. Un groupe d'excités profite d'une soirée organisée par un petit vendeur de vinyles de Cihangir pour faire un coup d'éclat qui veut donner l'exemple, ils passent à tabac les clients et le disquaire qui buvaient de la bière en écoutant le tout nouvel album de Radiohead. Sur les réseaux sociaux, l'incident est viral et soulève une indignation dont on ne sait trop quoi faire. C'est les gamins de Tophane qui ont fait ça soupire Ahmet, qui habite pile à la frontière entre le quartier bobo de Cihangir et la zone dominée par la mosquée de Tophane. On les voit circuler par petits groupes la nuit, ils communiquent entre eux, ils interviennent dès que quelque chose ne leur plaît pas. Et tout le monde laisse faire.

Guitariste à la retraite, programmateur d'une des plus belles salles de concert d'Istanbul qui accueille des artistes rock, jazz, indés du monde entier, Ahmet est ce que Georgi appelle, en raillant leur extinction prochaine, les petits Kemal, les fils de la classe moyenne laïque turque ; biberonnés à la culture européenne, de plus en plus minoritaires et pas préparés à l'être dans un pays dont ils n'ont pas vu venir l'inversion des rapports de force. À deux pas du musée de l'Innocence d'Orhan Pamuk, l'appartement d'Ahmet est le repaire de tout ce que Cihangir compte d'artistes quand il s'agit de boire une bière en écoutant de la musique. Collectionneur de vinyles, il écume tous les revendeurs du quartier qui le connaissent comme le loup blanc. Je lui demande s'il a des nouvelles de celui qui vient de se heurter aux excités de la mosquée d'en bas. Il dit que c'est un nouveau, pas d'ici en plus, un immigré coréen. C'est presque pour s'excuser au nom de son pays qu'il a appelé dès ce matin le propriétaire de la boutique dévastée qui, bien que choqué, a affirmé qu'il rouvrirait dès que possible. Radiohead a posté un message de soutien sur Facebook, ça a suffi à remonter le moral du disquaire groupie, mais pas celui d'Ahmet, blasé. Si encore ils avaient eu le courage de venir jouer à la manif ce soir, j'aurais trouvé ça pas mal, oui. Mais les messages *peace and love* postés sur Facebook depuis Londres, ça ne va pas suffire. Il y a en effet un rassemblement de soutien annoncé ce soir devant la boutique du disquaire. La police appelle à rester chez soi. Ahmet ne sait pas si ça risque de vraiment mal tourner mais comme c'est juste en bas il ira, je n'ai qu'à passer. D'ailleurs il vient d'acheter un disque merveilleux de basse hounge, une splendeur – je dois lui faire répéter trois fois pour comprendre de quoi on parle – est-ce que je connais non je ne crois pas, comment tu dis ? Mais si bien sûr tu dois connaître, on joue aux devinettes pendant quelques minutes avant que je dise, Alain Bashung oui évidemment, alors viens, tu vas pouvoir me traduire.

Le quartier est déjà cerné par la police. L'épicerie du coin a fermé, impossible d'acheter des bières, Ahmet dit que ce n'est pas grave, on va se faire livrer. Je demande si les livreurs de bière travaillent pendant le ramadan, il hausse les sourcils, tu rigoles tu crois que c'est l'Arabie saoudite ici ou quoi. À quoi bon avoir des livreurs de bière s'ils ne bossent pas pendant ramadan. Sur la table basse, Bashung dans l'eau noire de *Fantaisie militaire*. Ahmet louche un peu vers la France ces jours-ci, il fait venir plusieurs groupes français pour la fête de la Musique. T'as vu les flics dans la rue. On va se prendre un peu de lacrymo, ça nous rappellera Gezi. Attends avant qu'on descende, tu peux me traduire ça ? Il met *La nuit je mens*. Je m'en lave les mains dans le Vercors à l'élastique : pas traduisible. Désolée. Déçu, il écoute en silence, la cigarette aux lèvres, en guettant de la fenêtre ce qui se prépare dans la rue. Les paroles qui ne parlent qu'à moi, qui semblent du coup avoir quelque chose à me dire, forment comme une bulle, un fantôme que je serais seule à voir et qui me colle quand, avec un peu d'appréhension, on finit par sortir, aller se greffer à l'attroupement devant le magasin de vinyles. Ça ne dure pas longtemps. À peine formée la manifestation est brutalement dispersée, on remonte à l'appartement en toussant, les yeux rougis, on ferme soigneusement toutes les fenêtres pour pouvoir respirer à l'intérieur, mais au bout d'une petite heure à essayer de faire passer notre colère, notre impuissance, c'est de chaleur qu'on étouffe. On décide d'aller danser, on migre vers Taksim, on croise en chemin les fameux miliciens de Tophane qui nous regardent passer, sûrs d'eux, jouant les petits caïds, d'un œil méprisant. Quelques insultes fusent. Ahmet calme immédiatement le jeu, il est connu dans le quartier, et il a déjà eu affaire plus d'une fois aux menaces jusqu'en bas de chez lui, sous prétexte qu'il passait de la musique trop tard, trop fort. Hors de question d'attiser la tension, il suffirait de pas grand-chose pour que ça dégénère. Très remonté, il gronde qu'il faudrait organiser des contre-milices, qu'il faudrait qu'ils soient armés aussi et mobilisables rapidement pour aller montrer une bonne fois qui fait la loi la nuit à Istanbul, puisqu'on ne peut pas compter sur la police.

Il faut attendre d'être perchés sur un toit pour le voir se détendre. La bière aide plus que mes blagues qui tombent à plat – Elif Şafak n'a décidément pas tort quand elle dit que c'est à son goût pour l'alcool que la Turquie doit son semblant de démocratie. Heureusement, Ahmet est suffisamment saoul quand il reçoit, au beau milieu de la nuit, le message de désistement d'un des groupes qui devaient venir jouer pour la fête de la Musique. Ils ont eu vent de l'agression du disquaire, et de la répression policière de ce soir. Le message, écrit en français et grossièrement traduit en anglais, est consternant. Que vue de Paris, Istanbul n'ait pas l'air d'un endroit où il fait bon vivre pour les musiciens, on le conçoit tous. Mais qui peut avoir la cruauté d'écrire aux Turcs pris en tenailles par l'intégrisme et la dictature, que *nous* on aime boire des verres et faire de la musique, pas risquer notre vie pour le plaisir. Ahmet accuse le coup en riant nerveusement, mettant sur le compte de l'ignorance le petit ton narquois de l'e-mail qui me met hors de moi. Il lève son verre, vive l'arrogance, vive la France.

La ville tourne au ralenti. Quelques commerçants ferment plus tôt le soir pour aller dîner. Certains cafés cessent temporairement de servir de l'alcool. Je me demande si je devrai abandonner mon coin lecture sur les banquettes qui font face au coucher de soleil à Üsküdar, mais je constate que les vendeurs de thé de ce quartier conservateur jeûnent peut-être mais ne chôment pas. Je m'y attarde en fin de journée avec Hrant Dink sous le bras, et quand c'est l'heure d'aller prendre l'apéro la moto passe me prendre. J'adore entrer en moto dans la cour du Muz, je m'y crois comme si on passait la porte monumentale de la Mosquée bleue comme les sultans autrefois, sans descendre de cheval, pour épater la galerie. Fierté puérile. J'enlève mon casque – à défaut de permis de conduire nous avons investi dans des casques flambant neuf, pariant sur le fait que les flics ne contrôleraient jamais un motard qui pousse le zèle jusqu'à avoir deux casques et à les porter (la règle générale est de conduire tête nue, avec parfois un casque accroché au guidon). Je salue les amis attablés en terrasse, Berkin et la petite troupe des dessinateurs d'*Ondört Muz* qui font semblant de travailler au soleil. Anna est toute seule derrière le bar à l'intérieur. Elle répond à peine à mon bonjour elle attrape aussitôt une tasse en même temps qu'elle démanche le percolateur je vois sa main trembler, curieux je n'avais jamais remarqué cela chez elle, elle tremble vraiment, en posant la tasse remplie dans une coupelle elle se contrôle à peine et le café atterrit de justesse sur le comptoir. Je redemande si ça va. Elle nettoie très très minutieusement le rebord de la machine à café. On dirait qu'elle ne m'a pas entendue, Anna est-ce que ça va. Il y a un type bizarre qui est venu tout à l'heure. Elle ne veut pas en dire plus parce qu'elle montre qu'on n'est plus seules. Je mets les pieds dans le plat en appelant à l'aide d'un geste de la main, comment ça un type bizarre, elle met un doigt devant sa bouche pour faire non et puis elle se résigne, attends au moins qu'ils soient tous là, que je n'aie pas à répéter. Un type est entré dans l'après-midi quand il n'y avait personne il est venu au comptoir il m'a attrapée traînée dans la réserve il m'a prise à la gorge j'ai voulu me débattre mais il m'a tapée contre le mur et puis je me suis souvenue qu'il fallait crier alors j'ai hurlé et voilà il est reparti, il est reparti. J'aurais voulu répondre quelque chose de doux mais il me prend de court, comment ça c'est arrivé ici cet après-midi avec les garçons dehors ? Non ils n'étaient pas encore arrivés il n'y avait personne. Il monte d'un cran, mais pourquoi tu ne nous as pas appelés, elle fait non de la tête, il tape le casque sur le comptoir, il est où, il ressemble à quoi, elle explique mais il la coupe, de plus en plus furieux, il parlait turc ? habillé comment ? tu le reconnaîtras ? Elle dit oui évidemment, il est venu plusieurs fois, mais pourquoi tu ne l'as pas foutu dehors tout de suite et appelé les voisins à l'aide – je la vois se recroqueviller et ça me fend le cœur je gueule à mon tour que putain ce n'est pas sa faute à elle, il me fusille du regard et sort déverser sa colère sur les dessinateurs qui sirotent leurs bières dehors. Maintenant c'est le branle-bas de combat général ils sont tous en train de s'agiter à faire les cent pas dans la rue adjacente, à dévisager tous les passants, Anna reste sur le seuil tremblante, les bras croisés, dans sa longue robe jaune. Comme s'il allait revenir tout de suite je dis et puis quoi, ils vont le tuer ? Elle hausse les épaules, et pourquoi pas, les hommes peuvent bien mourir un peu aussi. Je demande si elle veut rentrer chez elle, si elle veut qu'on aille ailleurs, elle refuse tout net, absolument pas je veux rester ici je travaille jusqu'à 22 heures. Elle est inflexible, hors de question d'abandonner son poste et en plus elle ne veut pas rentrer chez elle, elle demande qu'on ne dise rien à Fares qui va s'énerver s'il apprend ça, déjà ce matin il lui a fait une remarque sur sa robe. Je suis atterrée. Elle dit qu'elle veut bien boire un verre de vodka en revanche si je peux trouver ça. J'accepte la mission. En passant devant son magasin j'alerte Erol, qui a l'air à la fois désolé et pas surpris, il dit sans mauvaise intention aucune, qu'est-ce qu'on peut faire les filles, vous savez que ça arrive, il faut vivre avec. J'ai envie de lui casser la bouteille sur la tête. Je reviens au Muz, les dessinateurs se sont réinstallés à leur table, ont repris leur conversation et ont le culot de réclamer un verre. Berkin seul est au comptoir et demande si on peut regarder les vidéos des caméras de surveillance, voir si on a sa tête mais bien sûr les caméras ne sont pas disposées comme il faudrait, les images ne seront pas utilisables. Je dis qu'il faut quand même aller porter plainte, mais il grimace tu sais les flics ici ça peut être la double peine. J'insiste pour qu'ils fassent quelque chose, mais quoi, de toute manière Anna n'a pas ses papiers en règle, donc oublie la police ce ne sera que des problèmes pour nous tous. Je rumine, Anna se tait, Berkin a l'air désemparé, Erol a fermé sa boutique et nous rejoint, sans doute pour témoigner sa solidarité, mais il ne trouve rien de mieux à dire en l'embrassant que peut-être la robe jaune fluo pendant le ramadan c'eût été plus prudent d'éviter. Là je suis vraiment exaspérée, et en les écoutant expliquer qu'il ne faut pas rêver il y a des connards à tous les coins de rue et qu'il faut être réaliste et se protéger, c'est comme si un grand fossé s'ouvrait entre nous. Arrête de faire cette tête comme si on défendait le mec, on dit juste que ces primates sont chez eux ici, et que toutes tes théories féministes n'y peuvent rien. Un bout de peau c'est de la provocation pour eux, c'est tout. Tu crois que ça nous amuse ? Bienvenue en Turquie. Le ton monte, Anna affolée s'excuse et j'en veux aux garçons de prendre ses excuses comme la preuve qu'ils ont raison. Berkin croit que me parler comme si j'étais une enfant de quatre ans va me calmer, l'autre fait semblant de ne pas entendre mais je le sens irrité, tendu, il finit par me demander de rentrer à la maison au lieu d'hystériser tout le monde. Hors de question. Il dit qu'il ne veut pas m'avoir ici dans mon état. Mon état quoi, parce que je suis en colère, que je suis bouleversée, on n'a même plus le droit ? Je répète qu'il faut aller chez les flics et que si aucun d'entre eux n'a les couilles de le faire j'irai moi-même avec Anna, il dit en turc et pour une fois c'est limpide, transparent, j'entends chaque mot distinctement : Si elle dit encore qu'il faut aller chez les flics je vais m'énerver. Il a un geste de la main interrompu, que j'interprète mal, peut-être, comme s'il allait frapper, je balance son casque et la pile de journaux par terre et il gueule d'un coup très fort, fous le camp maintenant, tu ne comprends rien et tu ne nous aides pas.

Depuis une semaine je suis seule dans l'appartement. Plus de nouvelles. Il est juste passé prendre des affaires, entré sans un mot, il a pris un sac mis des fringues en vrac dedans, je suis restée dans le salon en essayant de trouver quelque chose à dire. Au moment de ressortir la main sur la porte déjà ouverte il a dit, voilà, tu es chez toi. Tu peux rester tant que tu veux, écrire sur moi ou sur d'autres je m'en fous complètement, tu te débrouilles. J'ai trop à faire pour sauver ma peau et celle du Muz je ne peux plus te gérer en plus, et il est sorti. Je m'applique à ne rien déplacer de ses affaires. La boîte à tabac reste ouverte à côté de l'ordinateur, le verre tout juste rincé retourné au bord de l'évier. J'attends deux jours pour laver la vaisselle abandonnée.

J'ai parlé à Yemliha qui a décidé de compter jusqu'à trois. S'il n'est pas rentré à la maison vendredi je prends l'avion pour venir passer le week-end avec toi. Après tout, je fais la publicité de cet appartement depuis si longtemps. Vendredi, pas de trace de retour, elle achète un billet, prend quelques affaires, saute dans l'avion, et en début de soirée elle atterrit à Sabiha-Gökçen. Je l'attends dans le hall désert. Elle est fraîche et joyeuse, excitée d'être arrivée si vite, si facilement, et bien décidée à faire la bringue. On saute dans le bus qui traverse les quartiers en construction, des tours, des mosquées, des centres commerciaux, on passe le pont directement pour aller sur la rive européenne, rejoindre quelques amis et boire des verres dans un endroit avec vue. Griserie. On commande des cocktails, on fait la conversation à nos voisins. Elsa est là, qui n'a rien à ajouter à ma situation par rapport à la dernière fois : on est humains après tout. Elle s'est fait un nouvel ami, un grand brun à la barbe spectaculaire. Il me dit quelque chose ce type, je me demande d'où ; il répond qu'il est accordéoniste dans un groupe de blues oriental. Pour rentrer à l'appartement quand le bar ferme, il n'y a que le taxi collectif qui traverse le pont sur le Bosphore depuis Taksim. On se retrouve à marcher dans la rue piétonne pas tout à fait déserte aux premières heures du matin, interlope, restent quelques dealers, des gens qui rentrent chez eux pas trop droit, et le rythme des basses de salles de concert çà et là. Je tente de faire la conversation à l'accordéoniste, il parle à peine anglais et mon turc est complètement défaillant, mais sa grande barbe qu'il caresse en me regardant le plus sérieusement du monde et sa tête de Christ hippy me font rire. Il sort cérémonieusement des bières de son sac et on trinque en tapant les bouteilles au sol, aux absents et aux morts. On avance vers la place, l'accordéoniste court à droite à gauche en faisant le clown. Soudain j'avise droit devant une tête familière – Metin, qui cherche machinalement du regard mon compagnon habituel, me salue avec hésitation, ainsi que l'accordéoniste qui lui tire une profonde révérence. Il demande si je rentre à Kadıköy, si *vous* rentrez à Kadıköy en regardant mes acolytes, je dis oui, il hoche la tête. Il me fait remarquer que je devrais éviter de me balader une bouteille à la main en plein ramadan ; le Christ fou nous tourne autour comme un Indien autour du poteau des Yankees les mains au ciel, et tout d'un coup Metin a un flash, il était à Gezi lui non ? L'accordéoniste tire un invisible chapeau. Elsa demande à Metin s'il veut aller boire un dernier verre et sans que je comprenne où ni comment (il est quatre heures passées), il semble entendu qu'elle va rentrer avec lui. Yemliha dit, allez on y va, tu vois bien qu'Elsa a trouvé plus intéressant à faire ; Jésus, tu viens ?

On dirait que oui. Il ne nous lâche pas jusqu'à l'appartement. Un regard pour le jour qui se lève par la fenêtre, le canapé est vite transformé en lit pour l'invité,

Yem va dormir avec moi, on ne se préoccupe plus du squatteur qui semble décidé à se faire cuire des pâtes et on se couche. Au milieu de la nuit je me lève pour aller boire un verre d'eau, il est couché par terre en travers de la porte, la chemise à demi ouverte, une jambe posée quasi à la verticale contre le mur, un coussin quand même, la tête renversée sur le côté, bouche ouverte, un pantin jeté là n'importe comment qui dort comme un bébé, le bras tendu de tout son long, une cuillère à la main et une gamelle de macaronis posée par terre juste un peu plus loin, hors de portée. J'ai un fou rire. Je me marre avec mon verre d'eau, je l'enjambe, je retourne me coucher hilare, incapable de m'arrêter.

Au matin on manque de buter en sortant de la chambre sur l'épave de musicien qui dort encore, replié en position fœtale – Yem lui tapote la joue pour vérifier ses réflexes avant de sortir, on lui jette une couverture et on va prendre l'air. On commande des jus d'orange pressés à un vendeur ambulant qui ricane avec indulgence devant nos têtes pas fraîches. Elsa nous donne rendez-vous à l'embarcadère, je ne sais pas d'où elle vient, sans doute de chez Metin puisqu'elle est de ce côté-ci du Bosphore, quand je vois dans quel état on est Yem et moi j'ose à peine imaginer celui d'Elsa qui n'a sans doute pas fait que dormir chez Metin. Un taxi passe devant nous, s'arrête. La porte s'ouvre, la petite robe bleue à fleurs de la veille, Elsa toute pimpante. On dirait qu'elle sort d'une machine à remonter le temps, ou bien c'est Yemliha et moi qui avons pris trente ans. Le ferry passe devant nous lentement, on se regarde et sans hésitation, on court pour sauter dedans. On s'installe sur le toit, le vent nous rafraîchit, les mouettes nous suivent, Yemliha s'endort carrément, Elsa fait des selfies tout sourires qu'elle envoie à Metin. On mange des pains sucrés en buvant du thé pendant toute la balade, zigzaguant sur la Corne d'Or jusqu'à la mosquée d'Eyüp, où le ferry nous largue avec les pèlerins venus se recueillir sur la tombe d'un compagnon du Prophète. Les touristes grimpent dans le cimetière sur les traces de Pierre Loti, et nous au milieu de tout cela, on prend des glaces et on caresse les chats.

J'ai encore les doigts orange de henné, mais déjà bien rongés. Il suffirait d'envoyer un message bien sûr, mais après. S'il ne répond pas. Je sais où le trouver, il n'a sans doute pas abandonné le Muz, et la certitude de l'y trouver quand je voudrais m'a permis de tenir jusqu'à maintenant, dans l'attente qu'il fasse le premier pas de retour. Je ne sais même pas à quel point on est fâchés. Mais le doute s'installe. Et s'il avait vraiment disparu de la circulation. Je me décide à aller voir.

Il y a du monde dans la rue, des motos, j'identifie tout de suite les vendeurs des magasins alentour, la petite équipe de bras tatoués du coin, et lui est là aussi, en grande conversation avec une fille, une cagole kurde avec un petit chien ridicule, je l'ai déjà vue en concert celle-là et elle aussi m'a reconnue apparemment, car le temps que j'arrive jusqu'à eux, elle s'est éclipsée. Il m'accueille comme si de rien n'était. Comme si je passais par là. On va faire un petit tour de moto jusqu'à la forêt de Belgrade, histoire de profiter un peu du Bosphore, de cette belle nuit d'été. Je m'en fous, je pointe le coin de la rue, et elle ? Il se retourne, il y a la BMW garée là, il fait semblant de ne pas comprendre, quoi, la moto ? J'insiste et je sais qu'il ne faudrait pas. Droit dans les yeux, il demande, qu'est-ce que tu veux savoir ? Bonne question. La seule réponse qui me vient, c'est rien. Il approuve de la tête. J'ai besoin d'air, je me cherche des distractions. Je sais que ça te passe au-dessus de la tête, mais ça ne va pas là. On va devoir virer Fares, il part à la fin du mois, Anna passe à mi-temps. Même comme ça on ne tiendra pas plus de quelques mois, peut-être jusqu'à décembre. En espérant qu'il ne se passe rien d'ici là... Silence. Tu as vu que le procès de Hrant redémarre ? Comme quoi la brouille d'Erdoğan avec ses petits copains gülénistes va peut-être au moins servir à quelque chose, il les accuse désormais d'avoir commandité le meurtre. Il cherche sur Twitter, copie un lien qui désigne l'assassinat de Hrant comme « le premier crime » des gülénistes, il me l'envoie, range son téléphone dans sa poche et se lève pour me donner congé. Je demande quand est-ce qu'il va rentrer. Je ne sais pas pourquoi, j'ajoute que je me sentirais plus en sécurité s'il rentrait. Ça le fait mystérieusement sourire. Je suis là. Il me prend maladroitement dans ses bras, ça m'a fait plaisir de te voir, m'embrasse sur l'épaule, au creux du cou. Et je me retrouve plantée au milieu des garçons qui s'affairent pour démarrer les motos. Erol a sorti de la vitrine le modèle de collection qu'il a retapé et qu'il essaie vainement de vendre depuis des mois. Dix mille livres, une moto de l'année de sa naissance, 1974. C'est pas les Émiratis qui vont acheter ça alors autant que j'en profite.

Je redescends la rue pavée jusqu'au bord de l'eau, j'ai loupé le dernier bateau pour rentrer en Asie bien sûr. Je longe le Bosphore. Le port de croisière, ambition grand luxe, est en chantier animé, les grues s'agitent dans la nuit. Mais devant les emplacements d'amarrage existants, et autrefois prisés, devant le musée d'art moderne, nul yacht, croisiériste aucun. Les touristes sont partis, vraiment partis. Personne n'a l'air de se demander s'il est toujours opportun de refaire à neuf toute la rive pour eux. Devant la splendeur des ombres géantes des cargos qui circulent en silence au milieu du détroit, on ne peut pas se dire autre chose que, les imbéciles, ils ne savent pas ce qu'ils perdent. Je passe l'université des Beaux-Arts, le quai de Fındıklı, son petit parc où dans la journée les familles viennent pique-niquer au bord de l'eau. On voit des dauphins souvent d'ici, les mômes jouent à tirer à la carabine à plomb sur des ballons multicolores, certains se jettent à l'eau entre deux cannes à pêche. À cette heure tardive il y a quelques noctambules encore sur l'herbe parmi les chats et de gros chiens beiges. Deux trois hommes qui dorment sur les bancs. Je m'installe aussi, un peu à distance. C'est probablement dans un endroit comme celui-ci que Hrant Dink et ses frères ont été retrouvés par la police dans leur fameux panier de pêcheur, pendant que les parents se disputaient pour ne pas avoir à les garder. Je mets mes écouteurs, d'estrade en estrade Bashung fait l'amour, fait le mort; je m'absorbe dans l'eau noire. Je m'endors.

Sara et Ibrahim sont de passage à Istanbul le temps d'un mariage éclair, simple formalité pour qu'Ibrahim puisse faire accélérer sa demande de citoyenneté turque – on fera une fête plus tard, quand il y aura quelque chose à fêter. Sara qui ne supporte plus la vie à Gaziantep a accepté, sans négocier ni avec son employeur ni avec son désormais mari, un poste dans une O.N.G. en Irak, au moins pour quelques mois, besoin de prendre de la distance avec le front turc – à ce stade, même l'Irak lui semble une destination relax. Ibrahim ne peut pas suivre, quitter son travail à l'ONU ne serait guère raisonnable dans sa situation. Il a besoin d'un hébergement pour quelques jours encore à Istanbul, il a rendez-vous au consulat de Syrie pour présenter son certificat de mariage et les preuves de quatre années de résidence sur le territoire qui lui permettront espère-t-il d'échapper au service militaire obligatoire – crois-moi, tu n'as vraiment pas envie de faire ton service militaire en ce moment en Syrie. Je sais bien, Metin est exactement dans le même cas côté turc, il a réussi jusqu'à présent à repousser l'échéance en enchaînant séjours à l'étranger, études, en payant des amendes ; mais maintenant il n'a plus qu'une option : partir. Et ton amoureux, demande Ibrahim, il a fait son service ? Je dis qu'il a fait une école militaire, je suppose que ça vaut pour le service obligatoire. Ah, c'est donc ça, dit Ibrahim. Ça quoi ? Je me demandais quel genre d'homme avait pu tenir cet appartement, on voit bien que normalement c'est quelqu'un d'organisé qui vit ici : tout est à sa place, il y a tous les rangements possibles dans la cuisine, tout en stock, toutes les tailles d'outils et d'ustensiles, même des paires de ciseaux différentes pour les herbes ; mais avec ton bordel partout on dirait que vous avez été cambriolés. Après l'école militaire, qu'est-ce qu'il a fait ? Il n'a pas fini, il s'est enfui. Pas d'autre question. Ibrahim s'attaque au dîner – il a acheté de quoi nourrir dix personnes. Invite des amis me dit-il simplement, il y a bien quelqu'un qui peut venir partager le repas, non ? Ça ne se fait pas de dîner juste tous les deux. J'appelle les voisins, Ruqia dit qu'elle vient de préparer du houmous, Ibrahim se frotte les mains, du houmous syrien, parfait.

Ruqia, je la vois venir avec son regard qui dit que je fais vraiment n'importe quoi et voilà, elle demande ce que j'attends pour libérer l'appartement. Comme si je l'occupais militairement. Il ne m'a pas demandé de partir je dis, donc tu attends qu'il te le demande, que ça vienne de lui. Je sens qu'elle va m'énerver. Il y a une chambre de libre chez nous ajoute-t-elle – elle habite en colocation avec Metin à deux pas d'ici –, tu prends tes affaires et tu viens t'installer avec nous. Il ne reviendra pas tant que tu seras dans les lieux, c'est évident. Je soupire, aucune envie de déménager. Perdre la vue. Je me sens chez moi dans cet appartement, mais je vois bien dans l'œil de Ruqia que je me raconte des histoires.

Ils passent un film de Godard sur le campus de l'université du Bosphore, en plein air, on prend une bonne bouteille de vin et on s'installe dans l'herbe. Sous-titres anglais, surtitres turcs pour des dialogues impossibles à traduire ; je crois que parmi notre assemblée hétéroclite personne ne voit le même film que son voisin. Au milieu de la séance, les gens s'agitent, une rumeur se répand : il y a eu un attentat. Les réseaux internet sont saturés, on a du mal à avoir l'information, il y a des morts à l'aéroport. Les avions tournent dans le ciel. Tout le monde a le nez en l'air. Le film est interrompu. Quel aéroport. Le compagnon de Zehra travaille à l'aéroport Atatürk, j'envoie un message pour savoir si tout va bien. Elle répond du tac au tac, merci pour ton message, nous sommes à la maison ; mais de toute évidence, nous ne sommes plus en sécurité. Je repose le téléphone en lui jetant un regard noir, décidément toi et moi, on n'est plus du même bord.

J'aimerais sortir de la ville, j'ai l'impression d'étouffer, je demande à Berkin s'il voudrait bien m'accompagner voir un peu du pays ; il me dit non très simplement, tu crois que si j'avais des congés payés j'irais les passer dans ces provinces de merde ? C'est pas sexy pour moi la Turquie profonde. Je pose la même question à Ruqia et elle, elle accepte d'aller se mettre au vert. On réserve un gîte qui fait des stages de yoga, on loue une voiture, elle conduit jusqu'à la montagne, tout est si vide ici et bien sûr ils ont quand même réussi à coller une mosquée sur le versant en face qui va nous casser les oreilles dit-elle sans sourire ; je réalise que je n'ai jamais demandé à Ruqia si elle était d'une famille musulmane, ou chrétienne – ou quoi ? À peine arrivée, je m'ennuie d'Istanbul. Je tourne en rond, je ramasse des noix, je fais du thé, le maître yogi me dit que ma respiration ça ne va pas du tout, je l'envoie bouler. On apprend l'attentat de Nice via les habituels messages demandant si *ça va*. Je regarde les photos du pont du Bosphore, dès le lendemain drapé aux couleurs de la France, toujours la même spectaculaire solidarité à sens unique, quand je reçois un message, où es-tu ? puis un deuxième, tout de suite, quelques mots jetés, fébrilement. Les militaires sont sur le pont, mets-toi à l'abri. Je réponds, je ne suis pas en ville. Et toi ? Muz. Il m'envoie une photo prise de la terrasse, on voit le pont bleu blanc rouge, le même que je regardais à l'instant, mais sur cette photo on devine les tanks. Des vagues d'informations catastrophistes envoyées en flot tsunamique d'Istanbul s'échouent sur mon téléphone. Des messages invraisemblables. Erdoğan appelle à sortir dans les rues manifester. Quelles rues. Quelle manifestation. Contre qui. Un coup d'État des kémalistes, peut-être. Un de plus dans l'histoire épileptique de la République turque. À la télé Erdoğan dit que ce sont les gülénistes, cette rengaine commence à être lassante. Anna dit que dans les rues de Beşiktaş c'est un chaos. Les flics et les militaires s'affrontent. Prise de panique, elle a couru jusque chez la mère d'une amie et s'est enfermée. Ahmet est chez lui à Cihangir, dégoûté, c'est un putain de coup monté. Georgi est coincé sur une terrasse, une soirée barbecue qui risque bien de se prolonger, impossible de sortir, ils veillent à la belle étoile et voient les avions survoler la ville, trop bas, il envoie des messages au compte-gouttes, incrédule, terrorisé : ils vont nous bombarder. Berkin, à Galata, entend les appels à la prière, non-stop, tellement forts qu'il ne peut pas téléphoner de chez lui. Elsa craque, cette fois j'en ai marre. Je me casse de ce pays le plus tôt possible. Zehra était au bistrot, dans le quartier branché de Nişantaşı. Personne n'a pris au sérieux les nouvelles et ils ont offert une tournée générale d'un cocktail baptisé « Coup d'État ». Il leur a fallu un moment pour se décider à mettre les gens dehors et encore, quelques-uns se sont assis sous un porche pour finir leur verre. C'est en voyant défiler devant eux les camions de flics armés jusqu'aux dents qu'ils ont compris. Il faudra attendre le lendemain matin pour avoir des nouvelles de Metin, qui venait d'atterrir à l'aéroport avec son équipe de basket, une dizaine de jeunes dont il est responsable, en plein chaos. Quand les nationalistes sont entrés dans le hall avec les drapeaux en criant *Allahu akbar*, les gens ont cru à un attentat, encore, panique générale, beaucoup se sont enfuis en courant. Une femme a crié en arabe *Halas*, *halas*, est-ce qu'elle voulait les faire taire, est-ce qu'elle se rendait, il n'a pas compris. Metin a abandonné les bagages et loué une chambre pour les gamins à l'hôtel le plus proche, juste avant que les chars n'encerclent l'aéroport. Dans ces chars il y avait le fils du vendeur de thé d'en bas, qui a fini la nuit en prison, dont il n'est pas près de sortir. Il dira plus tard qu'avec son escadron il s'est rendu à l'aéroport parce que c'étaient les ordres, et quand ils ont vu qu'il se passait quelque chose de louche, ils ont fait demi-tour. Et c'est en voulant repartir qu'ils ont été arrêtés. Quand on voit les images de violence brute, déchaînée, des civils à l'égard des militaires sur le pont, on se sent soulagé qu'il soit simplement vivant. Mais comme tant et tant d'autres, même s'il jure qu'il n'était au courant de rien et n'a tiré sur personne, il devra attendre des mois son procès en prison. Les médias donnent des informations contradictoires, lacunaires. Côté français la situation est illisible, on dirait à lire la presse que c'était une tentative de coup d'État plutôt démocratique – Ruqia s'énerve, et c'est censé être quoi, un coup d'État démocratique ?

Même parmi les plus radicaux anti-Erdoğan de mes connaissances, personne ne regrette que le putsch ait raté, mais il n'iront pas pour autant aux rassemblements prévus en ville les jours suivants, malgré les appels à l'unité nationale et les négociations de l'opposition laïque, qui accepte de manifester à condition que les drapeaux à l'effigie d'Erdoğan ne soient pas plus grands que ceux d'Atatürk. On en est là.

Le même message : Où es-tu ? Cette fois je réponds plus tranquillement. Je demande si je devrais rentrer à Istanbul, à son avis. Si j'étais toi, je rentrerais en France dit-il simplement, sans arrière-pensée. Je demande si c'est si terrible en ville. Mais non, reviens si ça t'amuse. On est juste coincés dans le même immeuble que deux dingos qui s'entre-tuent.

Le cœur intranquille des colombes, tu as sans doute lu cette expression déjà, qui était dans son dernier éditorial. Le sous-titre était : Mon état d'inquiétude. Hrant y parlait de sa condamnation pour cette histoire de poison turc dans l'identité arménienne qui avait fait de lui un ennemi public ; du fait qu'il ferait peut-être mieux de quitter le pays ; du fait plus fort qu'il ne voulait pas partir. Istanbul était sa terre. La diaspora arménienne lui brisait le cœur.

Erdem est rentré des États-Unis, car c'est bientôt la reprise des cours à l'université. Et qu'il doit encore une année à l'État. Alors il est revenu, malgré la répression furieuse qui suit le putsch raté, les purges parmi les professeurs, les conseils de ses amis, la liste des proches inquiétés, certains licenciés, certains arrêtés, malgré sa photo dans les journaux conservateurs ces dernières semaines. Comme l'écrivit Demirtaş, le président du parti d'opposition HDP dans une tribune juste avant d'être lui-même arrêté, « on en est arrivé au point où, en Turquie, le simple fait de plaider pour la paix est considéré comme un délit» ; or Erdem a signé la pétition des universitaires pour la paix au Kurdistan. Sauf contrordre, il sera au poste devant les étudiants la semaine prochaine et, à peine de retour à Istanbul, il a pris le temps de sortir prendre une limonade avec moi qui suis en retard, comme toujours. Au serveur du café qui s'inquiétait de le voir attendre, il a dit qu'il avait rendez-vous avec une journaliste qui écrit sur Hrant Dink et le serveur s'est alarmé, tu es sûr que c'est bien le moment pour toi d'en rajouter une couche avec Hrant ? Il a hésité, et il a eu honte. Voilà ce qui nous détruit profondément, m'avoue-t-il, la peur. Je me surprends à ne pas partager certains articles sur les réseaux sociaux, à me méfier de mon ombre. Et de fait, à la terrasse de ce café d'Osmanbey, à quelques mètres de la rue où Hrant a été assassiné, Erdem regarde à droite, à gauche, derrière moi, derrière lui. Les yeux balayant tout, tâchant d'intercepter une oreille qui traîne, une curiosité malveillante chez nos voisins. Un oiseau inquiet. Au moment de nous quitter, il me dit deux choses. Primo, ne me crée pas de problèmes avec ton livre. Deuzio, n'oublie pas de faire un enfant. Devant mon air effaré il sourit, moi aussi je croyais que l'art, la politique, les voyages c'était le plus important. Maintenant je suis un vieil homme, un artiste, un militant sans doute. Mais les plus profondes conversations que j'ai c'est avec mon fils. Il est ingénieur, tu sais. Et ce que mon fils fait dans son labo de physique aux États-Unis me semble plus intéressant aujourd'hui que toutes les galeries d'art d'Istanbul et d'ailleurs. Je t'assure.

Istanbul en septembre, je retrouve la moiteur de la ville penchant vers l'automne dans la chaleur entêtante. Je déménage finalement chez Ruqia et Metin qui me libèrent une chambre dans leur colocation. Tous les jours après le déjeuner, je traverse le Bosphore en ferry pour rejoindre Berkin, on parle de nos lectures, de l'état politique du pays, il déconstruit au fur et à mesure tout ce qu'il m'apprend, tout ce que je crois comprendre. Ne sois pas si sûre de ce que tu sais d'Istanbul, tu ne connais que nos quartiers mais essaie de sortir de Kadıköy un peu. On est tellement minoritaires. Dans les nouveaux quartiers, cette ville de 2016, qui ne ressemble pas à celle des Grecs, des Arméniens, des Juifs d'autrefois, annonce celle qui viendra et qu'on ne connaîtra peut-être pas. Peut-être dans cette future Istanbul n'y aura-t-il plus de filles se promenant seules et tranquilles de terrasse en terrasse, ni de types en jean slim et boucles d'oreilles. La *Gay Pride* a de facto déjà disparu, interdite à cause de l'état d'urgence et ne reviendra pas. La manifestation de l'année dernière, brutalement dispersée par la police à coups de Kärcher, aura donné lieu à un dernier moment de poésie, les jets d'eau formant un arc-en-ciel au-dessus de la foule en déroute. Cette année, les hélicoptères survolant Istiklal et les barrages militarisés ont dissuadé la plupart des manifestants. Il y a quelques semaines, une jeune trans a été retrouvée brûlée vive en ville.

L'année du centenaire du génocide, la Fondation Hrant-Dink a remis sa récompense annuelle pour la défense des droits de l'homme en Turquie à une association L.G.B.T. Berkin sourit tristement, j'espère que ça ne veut pas dire que nous sommes dans la situation des Arméniens de 1915. Un prix pour les L.G.B.T. donc, un pour le journaliste Ahmet Altan qui vient justement d'être mis en prison, un autre pour les objecteurs de conscience en 2009, que le serveur du bistrot du coin se targue d'avoir reçu en personne, avec une centaine d'autres militants antimilitaristes. Je n'ai jamais eu l'occasion d'en savoir vraiment plus sur le mouvement des objecteurs de conscience en Turquie, pourtant je sais que dans ce pays où la tradition démocratique se confond, au désespoir des vrais démocrates, avec le culte de l'armée, les mouvements antimilitaristes sont un des points de rencontre des progressistes. Je décide puisque je n'ose plus vraiment passer au Muz de reprendre mes habitudes au bistrot d'en bas pour faire parler l'objecteur barman. Il m'arrose de bière davantage qu'il ne me parle, et quand je sors de mes interviews, ivre, stupide, j'envoie des messages d'amour vaseux à l'autre. La dépression nationale ne va pas en s'arrangeant. La cérémonie de remise des prix de la Fondation Dink a lieu d'habitude autour de la date anniversaire de la naissance de Hrant, le 15 septembre 1954; cette année cela tombe pendant les vacances de l'Aïd. Le 16 septembre, le sang d'Euphémie, la sainte patronne grecque de Chalcédoine, déborde de ses reliques. Les rues de Kadıköy, désertes, laissent échapper çà et là le cri d'un mouton qu'on égorge. Je veux aller voir la tombe, où est-elle. Probablement couverte de roses, surtout à cette période anniversaire. J'ai en tête les images spectaculaires de la foule immense, à perte de vue, suivant le cercueil sur le pont de la Corne d'Or traversant vers la vieille ville avec des milliers, des dizaines de milliers de pancartes identiques, rondes et noires avec des slogans bilingues en lettres blanches, « Nous sommes tous Hrant », « Nous sommes tous arméniens ». Il faut prendre le tramway. Le président Erdoğan passera au moins à la postérité pour ce bon mot, « la démocratie c'est comme le tramway : quand on est arrivé à destination, on en descend ». On ne pourra pas dire qu'on n'avait pas été prévenus. La ligne qui va à la tombe de Hrant longe Sainte-Sophie et la Mosquée bleue, encerclées par les barrières de flics. Un peu plus loin, on passe devant l'université, endeuillée par un attentat d'une faction dissidente du PKK au début de l'année. Et puis on s'enfonce dans les quartiers conservateurs, on voit de plus en plus de femmes voilées, le tram prend son élan pour grimper à Aksaray et il n'y a plus d'Occidentaux du tout, mais plein d'immigrés, des Syriens, des Arméniens d'Arménie, et les meilleures pâtisseries de la ville. Finalement le tram s'arrête sur le plateau de Topkapı, face aux murailles sur lesquelles le gouvernement turc a encore battu son propre record de planté de drapeaux géants. Des femmes tout en noir poussent les enfants sur les balançoires, d'autres se prélassent sur l'herbe en discutant. Il fait trente degrés, je me surprends à m'en faire la remarque parce que j'ai l'impression d'être parfaitement indécente dans ma robe courte, à les voir on dirait qu'il fait un peu frais et j'aurais l'impression que l'affichage public de la température extérieure serait comme un arbitrage en ma faveur. Je chausse mes écouteurs pour dissuader d'éventuelles interpellations, mais c'est plutôt inutile, l'indifférence règne dans cet endroit paisible. Ici l'entrée du cimetière. Je n'ai pas pris la peine de me renseigner très précisément sur l'emplacement de la tombe, j'ai supposé que je trouverais facilement. Pourquoi je suppose toujours que je trouverai facilement, mystère, malgré tant d'années de démenti empirique. Il doit y avoir un carré arménien et clairement, ce n'est pas de ce côté. Je divague parmi les tombes ottomanes. Des écritures arabes, lisibles pour personne. Les Syriens du quartier au moins s'y retrouvent-ils ? Pas sûr. Peut-être un peu mieux que les Turcs qui écrivent en alphabet latin depuis quatre ou cinq générations maintenant. Fethiye Çetin commence un de ses livres par une note sur l'alphabet et l'alphabétisation turque, disant qu'en 1913, sa grand-mère a écrit à son arrière-grand-père, émigré aux États-Unis, en langue et en alphabet arméniens. Quand il a répondu, il a probablement dicté sa lettre, rédigée en « ancienne écriture », c'est-à-dire en turc et en caractères arabes. Les enfants ont dû la faire lire par une personne connaissant encore l'ancienne écriture – mais la grand-mère ne semblait pas non plus capable de lire le turc en « nouvel alphabet » latin. C'est dire si l'acte fondateur de la République s'est fait dans le massacre des minorités et la coupure brutale de toute transmission écrite – « est-ce qu'un peuple qui ne peut pas lire ses propres poèmes d'amour peut avoir une histoire faite d'amour ? Je me demande ce que serait un Allemand qui ne pourrait pas lire Goethe, ou un Anglais à qui les sonnets de Shakespeare resteraient opaques », s'interroge, en se retournant sur le XXe siècle, Ece Temelkuran.

Des caveaux impressionnants, des dignitaires sans doute, laissés à l'abandon. Peu de visiteurs, seulement les jardiniers. L'un d'eux me double avec son arrosoir, se retourne, demande s'il peut m'aider. Je dis en turc que je ne parle pas turc, ce qui n'a pas l'air de le convaincre. Il demande d'où je viens, je réponds, il demande si je cherche quelque chose, je dis non – pas envie qu'il m'accompagne. Il me semble comprendre qu'il dit que mon turc est très bon, mais peut-être dit-il que je suis très belle, en tout cas il prend ma main, l'embrasse, et me souhaite bonne journée avant de disparaître. Je descends encore la pente quelques minutes, il me semble que les noms sur les tombes sonnent de plus en plus arméniens (mais non), je continue avant de me rendre à l'évidence que je suis au milieu d'un cimetière immense, uniformément musulman. Pas une croix à l'horizon, mais ce qui pourrait être la cabane des jardiniers. Je passe une tête, trois policiers en uniforme sont en train de déjeuner, me dévisagent un peu ahuris. Je leur demande où est le carré arménien et l'idée affleure que c'est peut-être ce que certains appelleraient de la provocation, se balader en robe dans un quartier conservateur, et se présenter aux policiers quand on cherche la tombe de Hrant Dink; mais ils me font signe de m'asseoir et de partager leur repas, une omelette aux poivrons; ils demandent d'où je viens, si je suis orthodoxe, non, quoi alors, la France est en grève ? Je réponds comme si la question allait de soi. Plus rien ne m'étonne – est-ce Istanbul qui m'a rendue comme ça. Finalement ils m'expliquent qu'il me reste un bon kilomètre à faire vers la mer. Bonne balade.

En tongs dans ce cimetière qui n'en finit pas, une bulle paisible. Entre deux sections, des rues étroites où se croisent des voitures qui roulent trop vite, quelques piétons, surtout des hommes, et des carrioles à cheval. Ici un hangar d'où émane encore l'odeur des moutons qui devaient y être parqués. Et finalement, une petite église, un monastère, une forêt de croix : le cimetière arménien. Le lieu est désert, découpé en une vingtaine de carrés numérotés, étalés sur une colline plantée de thuyas. J'avance au hasard. Les jardiniers travaillent deux par deux sur des tombes assez larges pour y planter l'équivalent d'une portion de potager communautaire, certains s'affairent en silence, d'autres discutent, d'autres écoutent de la musique. Ils se redressent à mon passage comme des mangoustes dans la savane. En voilà un qui en me voyant remet vite fait son T-shirt, en sortant de sa tombe pour aller chercher de l'eau à la fontaine. Je l'arrête et lui demande où est Hrant Dink. Comme si on se croisait dans les couloirs d'*Agos*. Le jardinier m'indique l'entrée du cimetière, comment j'ai pu le louper, juste en face de l'église. Il fait le geste d'un grand monument, je m'attends au pire. J'ai cru comprendre troisième carré, mais au troisième carré il n'y a rien de spécial, encore des jardiniers, je redemande mon chemin et cette fois ils ne se contentent pas d'indiquer, ils m'accompagnent en délégation, arrosoirs à la main, et me déposent devant la troisième tombe devant l'entrée. En effet, c'était difficile de la manquer. Une colonne et le buste de Dink en marbre blanc, flanqué de deux sculptures un peu abstraites que je n'identifie pas immédiatement. Derrière, un panneau gravé de croix orthodoxes, et des oiseaux. Des colombes sans doute dans l'esprit du sculpteur, ou les mouettes qui suivent les ferries du Bosphore, que l'on voit derrière Hrant sur une des photos les plus connues de lui. Ou peut-être, ces fameux pigeons à l'unisson desquels battait son cœur inquiet. Un poème à ses pieds, en turc. Une photo. Un encensoir, un rosier. Je recule pour m'asseoir sur le banc de l'autre côté de l'allée, entre dans mon champ de vision l'olivier planté devant, un peu penché par le vent, et les deux sculptures qui encadrent le visage de Hrant : encore des colombes. Rarement vu une telle accumulation de symboles de paix ; voilà la tombe d'un homme labellisé ennemi des Turcs et qui demandait comme une prière, ne vous inquiétez pas, nous avons les yeux rivés sur cette terre c'est vrai, mais pas pour la reprendre ; pour y reposer au plus profond.

Sur le plateau qui surplombe le parc Maçka, une grande esplanade et une statue qui contemple la ville illuminée. Les invités se pressent à l'intérieur d'une salle de concert cossue, je retrouve Erdem, endimanché, un peu triste de ne pas voir la salle remplie. Les gens ont même peur d'être vus ici maintenant. Une vidéo montre Hrant lors d'une remise de prix en Allemagne. Son visage en énorme sur l'écran qui nous harangue, il s'exprime en martelant ses propos, le poing fermé, une citation s'affiche en bandeau – « la Turquie n'est pas un pays sombre ». Il parle sans notes, dit ce qu'il a sur le cœur et salue, sort de scène sous les applaudissements en oubliant sa statuette près du micro, les gens rient à l'écran et dans la salle, on le voit remonter sur scène en courant chercher sa récompense, rouge de confusion et riant lui aussi aux éclats, repartir en la serrant bien fort contre lui. La vidéo finie, la lumière se rallume. La cérémonie de remise des prix de la Fondation Hrant-Dink passe en revue les faits d'armes de l'année 2016 en termes de défense des droits de l'homme et de la démocratie, en Turquie et à travers le monde. On balaie large, des associations de promotion de l'égalité fille-garçon dans les écoles au Royaume-Uni au sauvetage des animaux de ferme en Chine, en passant par les résistants syriens. Alors que mon attention se relâche un peu devant le panorama qui s'éternise, un hommage appuyé est rendu au peuple turc qui a manifesté contre le coup d'État. Je revois les images de cette nuit de folie en me demandant si c'est une plaisanterie. Deux femmes s'opposant aux chars, parmi des dizaines de visages belliqueux, censés représenter les démocrates de 2016. Vraiment ? À mon côté, Erdem reste muet. Est-on à ce point obligés de donner des gages au gouvernement. Je ronge mon frein. Et voilà les lauréats. Pour la Turquie, en cette année apocalyptique l'annonce est faite avec lenteur, avec gravité : Diyarbakır Barosu. « L'Association du barreau de Diyarbakır, pour son impartialité, sa sensibilité aux questions de droits humains, son opposition à toutes les formes de violence, qu'importe qui les emploie et pour quelle raison, un modèle pour la région » – chaque mot distinctement articulé vaut son pesant de sous-entendus, salués par un tonnerre d'applaudissements.

Hors de la salle, des correspondants étrangers d'Istanbul mutualisent leur inquiétude sur l'avenir de ce pays. Ça cause comité de soutien à Aslı Erdoğan, la nouvelle madone des médias européens, actions possibles auprès du consulat d'Istanbul, du nouveau consul, est-il plus frileux que l'ancienne. Dans les toilettes des dames, posée sur l'évier, est comme oubliée à son tour la statuette de l'*award* international, tout juste remise à Theresa Kachindamoto, activiste du Malawi. Je la regarde de près, le pavé de bois fendu à la hache, les deux parties encore solidaires grâce à une pièce en métal en forme de H, aux proportions du corps de Hrant. Je touche le bois précautionneusement, comme si son génie allait apparaître à mon contact, mais à la place c'est Theresa Kachindamoto qui sort des toilettes, immense sourire chaleureux qui s'excuse en récupérant sa précieuse récompense. Dehors il pleut des chats mouillés et évidemment, je n'ai pas de parapluie. Je tombe sur la chanteuse kurde de l'autre soir, au bras d'Erdal Doğan qui était l'avocat de Hrant et qui est aujourd'hui celui d'Aslı. Je ne résiste pas et je m'invite dans leur conversation, trop curieuse de faire sa connaissance. La chanteuse me présente comme si j'étais sa meilleure amie, c'est un jour d'émotion vraiment pour moi, dit-elle, que le prix ait été remis au barreau de Diyarbakır, voilà qui ne manque pas de panache de la part de la fondation ! Oser réclamer justice pour Tahir Elçi, quitte à faire grincer des dents toutes prêtes à dépecer quiconque sort du rang en ce moment.

Je hoche la tête sans poser de question. Elle propose de nous raccompagner en voiture, son petit chien jappe dans les pattes des flics qui patrouillent à l'entrée du parking, attire leur attention, ils demandent qui conduit et si on n'a pas bu, la chanteuse, grande gueule, les remballe sèchement, détendez-vous les gars, le ramadan est fini. Elle pouffe de sa propre insolence et monte en voiture en disant, il ne manquerait plus que je me fasse arrêter le jour où l'on fête Tahir Elçi !

En 1915 courait la rumeur qu'à partir d'Urfa, à quelques dizaines de kilomètres de la frontière syrienne, l'ordre de tuer était suspendu. Les survivants étaient déportés vers Alep et de là, qui vers Marseille, qui vers l'Amérique… Les traces se perdaient. Alep aujourd'hui inaccessible, synonyme de l'enfer sur terre que fuient quotidiennement des milliers de réfugiés qui traversent dans l'autre sens et s'entassent dans les camps des faubourgs d'Urfa ; Alep il y a cent ans à peine, il y a vingt ans encore, c'était la Terre promise. Combien d'hommes, de femmes, d'enfants enterrés sur les bords de routes d'Anatolie, en direction de la Syrie. Ruqia a passé quelques mois à Urfa, quand elle est arrivée en Turquie. Dans son immeuble ne vivaient quasiment que des Syriens, en transit plus ou moins à long terme, dans cette ville qui fut celle d'Abraham selon la Bible et le Coran, où les pèlerins viennent encore se recueillir au bord du lac et engraisser de leurs offrandes les poissons sacrés. Plus beaucoup de touristes en revanche. « Fortement déconseillé aux étrangers sauf raison impérative, indique l'ambassade de France, à cause du conflit en Syrie et des affrontements entre les forces de sécurité turques et les militants du PKK, qui peuvent causer des dommages collatéraux», la formule est charmante pas vrai; je crois que dans le vocabulaire diplomatique on peut dire que Tahir Elçi fut un dommage collatéral. Enfin, c'est la version officielle. Je m'en souviens comme si c'était hier dit Ruqia, la fin de l'année 2015 fut une véritable chasse à l'homme dans la région. Les résistants syriens qui s'y étaient réfugiés tombaient comme des mouches. Un matin, on a retrouvé deux voisins décapités. Deux jeunes de mon âge, la vingtaine, deux activistes dont l'un avait cofondé un site d'informations qui existe encore, *Raqqa se fait massacrer en silence*. Je cherche sur Twitter le compte de *Raqqa is being slaughtered silently*. J'ai à peine tapé deux mots qu'apparaissent en suggestions des comptes djihadistes. Avec même de sympathiques photos de profil, kalachnikov à l'épaule dans le soleil couchant. J'ai un frisson, l'impression d'avoir composé par erreur le numéro de ces psychopathes. Quel échec pour l'intelligence artificielle: Twitter ne fait pas la différence entre le verbe *être* et l'acronyme de l'État islamique… À Urfa aussi a été abattu le numéro deux d'*Hentah*, le journal de Naji Jerf. Naji était alors à Gaziantep, il attendait son visa pour partir en France. Les agents de Daech se sont montrés plus efficaces que ceux de l'administration, il l'ont attrapé avant qu'il puisse s'enfuir, abattu en pleine rue, d'une balle de silencieux. Ruqia demande si j'ai déjà entendu parler de Naji, je dis oui. *Hentah* en arabe ça veut dire *Le Blé*. Pas étonnant que ça ait croisé ton sillon.

Tahir Elçi est tombé comme une quille au milieu de tous ces morts passés inaperçus. Avocat au barreau de Diyarbakır, et cette ville, capitale du Kurdistan turc, a été méthodiquement pilonnée par l'armée sous prétexte de venir à bout des rebelles armés du PKK. Tahir participait à une conférence de presse, près du minaret aux quatre pieds emblématique de la ville, dans le centre historique, endommagé lors d'échanges de tirs deux jours plus tôt. Les manifestants portaient des pancartes rondes, les mêmes qu'à l'enterrement de Hrant mais en couleurs, des slogans rouge et blanc sur la photo imprimée en arrière-plan des quatre pieds qui symbolisent la diversité culturelle et religieuse de la région. Tahir a demandé que cessent absolument les combats dans le centre-ville. « Nous ne voulons pas d'armes, d'opérations, de combats dans ce lieu commun de l'humanité », ce furent ses derniers mots. Maintenant le gouvernement dit que les tireurs appartenaient au PKK, bien sûr, mais personne n'y croit, pourquoi pas des gülénistes aussi ? On voit bien sur les vidéos que ce sont les flics qui l'ont abattu. Quelles vidéos ? je demande. C'était une conférence de presse avec caméras, appareils photo, iPhone, on trouve dix versions de sa mort en ligne sur YouTube si tu tapes « Tahir Elçi ». On voit les journalistes terrés entre une camionnette et le minaret, deux flics en civil armes au poing qui sont censés les couvrir, un des assaillants déboule dans la rue en courant, passe devant la voiture, le flic lui tire dessus quasi à bout portant, se retourne et tire encore, la caméra montre sa tête crispée, dents serrées, les yeux qui se ferment à chaque détonation, et sur l'image suivante on voit au sol le corps de Tahir Elçi. De longues minutes sont filmées pendant lesquelles les tirs ont cessé, le flic dit de rester là et s'avance un peu pour voir ce qui se passe dans la rue, les caméras filment la flaque de sang qui grandit à quelques mètres d'eux, personne n'ose se mettre à découvert, ils filment le corps à travers les quatre piliers du minaret, les pancartes des manifestants encore accrochées au monument dénoncent le crime de la veille. C'est écrit « J'en ai vu des guerres, des désastres, mais jamais une telle trahison ». Tahir Elçi, tué exactement comme ils ont tué Hrant, écrivit le journaliste Cengiz Çandar, le mari de Tuba Çandar qui a signé la biographie de Hrant qui me sert de Bible. Elle cite justement ce texte prophétique de 2003, *Message de celui qui sait déjà* : « Combien les Kurdes d'aujourd'hui ressemblent aux Arméniens de jadis ! Mon frère kurde, ne permets pas qu'ils sabotent nos manifestations et nos discours pour la paix. Au moins, fais en sorte de ne pas connaître la fin qui fut la nôtre. »

Il se dit que la Troisième Guerre mondiale a déjà commencé, et qu'elle entrera dans les livres d'histoire comme la « guerre de Mésopotamie ». Dans mes livres d'écolière, en France, nous apprenions que cette région entre le Tigre et l'Euphrate qui est aujourd'hui partagée entre Turcs, Irakiens et Syriens pour la plupart kurdes, était le berceau de l'humanité, le lieu de l'invention de la culture. Mais dans les écoles turques, le gouvernement a plutôt choisi de faire apprendre aux enfants que sur ces terres personne n'a jamais été exterminé, allant jusqu'à organiser une sorte de concours de dissertation sur le sujet qui s'attira la colère indignée et impuissante de Hrant. La sociologue Pınar Selek, dans le journal *Özgür Gündem*, s'était essayée à l'exercice de raconter l'histoire de ces terres sans évoquer le sujet tabou, une dissertation tristement parodique finissant ainsi : « Et les Arméniens, alors ? Emportés par les vents, engloutis par les eaux. »

L'Euphrate – *Firat* en kurde, *Fırat* en turc : c'était le nom « turquisé » de Hrant, celui qu'il s'était choisi dans ses jeunes années de militance marxiste, quand on lui avait fait comprendre qu'il valait mieux d'une part protéger sa famille, d'autre part ne pas étaler son arménité. L'Euphrate c'est aussi un personnage du livre de Jean Kehayan, *L'Apatrie*. Le récit de la fuite de son père, frêle adolescent de quinze ans abandonnant les ruines de la ferme familiale dans laquelle brûlent les cadavres mutilés de ses parents. « Aucun récit ne rapporte l'exploit d'un enfant ayant rallié Kharpout à l'Euphrate, écrit Kehayan, pourtant cela a eu lieu. » Ce jeune homme qui ne savait pas nager a eu l'idée, réminiscence de jeux d'enfants, de se ceinturer de calebasses pour traverser le fleuve et fuir encore, jusqu'à Marseille, avec ce passeport sur lequel d'une écriture parfaite on a indiqué comme but du voyage : « Ils ne peuvent pas retourner » – le document ne dit pas où, mais c'est quelque part par là-bas qu'ils n'ont jamais pu retourner.

Sur l'Euphrate, côté syrien, tout près du fief de Daech le prométhéen barrage de Tabqa a été endommagé par les bombardements américains, et menace de déverser les douze milliards de mètres cubes du bien nommé lac Assad sur les populations environnantes. Quelques kilomètres plus loin, l'aviation russe a bombardé des civils dans la ville de Deir ez-Zor, autrefois siège de fortes minorités yézidie et arménienne ; circulent sur Internet des images des eaux du fleuve rougies par l'hécatombe. *Regarde l'Euphrate charrier le sang*, le titre est déjà pris : c'est un livre de la fin des années 1980, de Yaşar Kemal, revenant sur la brutalité de l'évacuation des Grecs d'Anatolie. Et c'est une vieille histoire : l'*Iliade* raconte que pendant le siège de Troie le dieu-fleuve Xanthos, excédé de charrier les cadavres, entra dans une fureur vengeresse qui lui fit poursuivre Achille jusqu'à ce que, persuadé de mourir à son tour dans les eaux d'une mort qu'il trouvait indigne de lui, le héros se plaça sous la protection de sa déesse de mère. Deux mille huit cents ans plus tard, Fethiye Çetin, remontant dans *Le Livre de ma grand-mère* l'histoire engloutie de sa famille arménienne, a elle aussi buté sur ce tombeau d'eau originel. « Ma grand-mère paternelle [il s'agit ici en fait de la grand-mère de sa grand-mère] jeta ses deux petits-enfants à l'eau. C'étaient les filles de mes oncles. Leurs pères et leurs mères avaient tous été assassinés, elles-mêmes n'étaient plus en état de marcher. L'une des deux coula à pic, mais l'autre ressortit la tête hors de l'eau, ma grand-mère enfonça sa tête sous l'eau, l'enfant essaya de ressortir, elle vit la lumière du jour pour la dernière fois. Et ma grand-mère se jeta à son tour dans les flots… Elle fut emportée et disparut. »

Mais pourquoi tu vas raconter tout ça ?

La fondation qui œuvre inlassablement à la mémoire de Hrant et au dialogue entre la Turquie et ses minorités siège dans une ancienne école arménienne désaffectée, dont il ne reste qu'un vitrail étrangement logé, rue Papa-Roncalli. J'imagine Papa Roncalli comme un gros pizzaiolo de quartier, je me demande ce qu'il a pu faire de si extraordinaire pour avoir une rue à son nom, qui plus est la rue qui aurait pu s'appeler Hrant-Dink. Papa Roncalli c'est un pape, andouille. L'ambassade du Vatican est dans la rue. Les filles de la fondation déjeunent au rez-de-chaussée dans une cantine sans lumière. Les policiers qui assurent la sécurité de l'immeuble déjeunent à la table d'à côté; drôle d'impression, dans le climat actuel. Elles parlent des derniers projets de la fondation qui récolte, de plus en plus difficilement par les temps qui courent, les témoignages de l'histoire des Arméniens de Turquie. Dans le sud du pays, il y a tant de tabous encore. Elles ont pu interviewer un homme qui venait d'apprendre qu'il avait une ascendance arménienne, et qui se demandait comment il pourrait l'annoncer à sa femme. Comme s'il avait commis un péché. C'est pareil dans ma famille, renchérit une collègue : après des années de recherches, un de mes oncles a fini par retrouver la trace de cousins perdus pendant les marches de la mort, qui ont été convertis et vivent toujours au Kurdistan. Il n'a pas osé les contacter pour leur parler, il a préféré les laisser dans leur relatif confort identitaire. Une autre a fait des tests A.D.N. qui ont révélé qu'elle avait également des origines arméniennes, le sujet a achevé de faire éclater sa famille, divisée entre ceux qui en ont pris leur parti et ceux qui n'ont pas voulu en entendre parler, supposant que la C.I.A. avait truqué les tests et bien réussi son œuvre de propagande anti-turque, encore une fois. Fethiye Çetin raconte le cas d'une famille refusant l'héritage arrivé de la famille originelle d'une de ces enfants arméniennes « prélevées » par des familles musulmanes, et pose les questions sans réponses que nous nous posons tous, encore : « Après tant d'années, après que le danger de la mort a passé, pourquoi ont-elles encore si peur ? »

En sortant de la fondation, étape chez Mehmet. Il n'a pas de téléphone, mais quand il est là il ouvre toujours volontiers la porte dans l'encadrement de laquelle sa grande carrure et sa crinière de lion bicolore entrent à peine, et a toujours à toute heure au choix, thé, bière, rakı. Mehmet tremble un peu quand il fume. Sourire invariable, très doux. Puisque je m'intéresse aux objecteurs, il me parle de son service militaire qu'il a consciencieusement saboté en prétendant pendant huit mois être boiteux de la jambe droite. Rien que d'en parler il se remet à parader en boitant. Le début d'une carrière d'acteur et de metteur en scène notoirement antimilitariste, quelque peu brisée par le régime – pas moins de six procès ; mais il garde les souvenirs de son double de scène en photo partout aux murs, sur les commodes, dans la salle de bains. Il dit, tu sais que la Turquie a quasiment inventé l'intersectionnalité qui est aujourd'hui tellement à la mode dans les universités européennes. Dans les années 1980, les progressistes avaient adopté pour slogan « Nous ne sommes pas Sabiha Gökçen », pour dire nous ne voulons pas pour icône féministe une militaire, qui plus est une Arménienne refoulée qui s'est illustrée en bombardant les Kurdes alévis du Dersim. Tu devrais lire Pınar Selek, dit-il, comme si je l'avais attendu. Elle a fait son temps de prison, « l'insolente petite fille turque » comme l'appelait Hrant. Et quand elle a compris que l'État avait décidé de lui régler son compte, elle a pris le large peut-être pour toujours. Je dis à Mehmet que c'est grâce à elle, à son livre *Parce qu'ils sont arméniens*, que j'ai pour la première fois entendu parler de Dink.

Que j'ai aimé son insolence justement, comme une responsabilité qui viendrait avec les privilèges hérités d'une éducation bourgeoise. Son énergie à s'en défaire, à sortir du sillon des dominants. « Apprendre à voir et à entendre les eaux qui entraînent les gens vers l'inconnu, les vents qui balaient les amis », Mehmet sourit avec mélancolie en la citant. À part ça, il collectionne les hippopotames – c'est-à-dire, tout ce qui a forme d'hippopotame. J'aime la rondeur, se justifie-t-il, en caressant affectueusement le cendrier hippo que je viens de lui apporter, glané chez un antiquaire de Cihangir. Il entasse des centaines d'hippo-bibelots dans cet appartement qui héberge aussi provisoirement une amie du Caucase que tout le monde, et donc moi de même, appelle Princesse et traite comme telle. Elle passe une tête pour identifier les invités avant de parfois venir s'asseoir avec nous quand ça lui chante – elle ne comprend pas un mot d'anglais mais elle qui est scénariste ne doit pas trop s'ennuyer à nous regarder comme un film sans sous-titres.

Depuis le mois d'août toute l'énergie de Mehmet est mobilisée pour faire libérer son amie Aslı Erdoğan. Accusée de participation à une entreprise terroriste et de tentative de division de l'État, c'est-à-dire, d'être proche du PKK, proximité dont la seule preuve avancée est une série d'articles publiés dans un journal jusque-là autorisé, *Özgür Gündem*, dont l'ensemble des membres et comités de soutien est désormais incriminé : elle risque la prison à perpétuité en isolement et incompressible. Mehmet passe ses journées rivé à l'écran, se concentrant autant que possible pour écrire de longs e-mails en anglais à destination de toutes les associations, O.N.G., activistes, écrivains, politiques dont il peut trouver le contact. Aslı est malade, ses conditions de détention aggravent un état physique et psychologique fragile. La première audience de son procès, groupé avec neuf autres inculpés d'*Özgür Gündem*, est fixée fin décembre, ce qui lui fait au minimum quatre mois et demi à passer en prison. Les demandes de libération provisoire rejetées, il faut croire que dans cet État en guerre civile et menacé à ses frontières, une rêveuse déchirée par la souffrance du monde présente un danger imminent pour ses concitoyens. Même perspective pour Necmiye Alpay arrêtée quinze jours après Aslı et recluse avec elle, que le procureur soupçonne de s'être convertie à l'action violente, après une longue carrière dédiée à la philosophie et l'étude des langues. Toi qui aimes les listes, ironise Mehmet, tu pourrais nous dire si ça se trouve, ailleurs qu'en Turquie, des terroristes septuagénaires qui tiennent des blogs littéraires ? Sur le blog de Necmiye en effet, un article traduit en français par l'auteure, intitulé *Le cœur, la rose, le temps et le miroir*, parcourt cinq siècles de poésie féminine française en commençant par se demander s'il est bien raisonnable d'avoir méprisé les vers de Christine de Pisan (v.1365-v.1430) sous prétexte qu'elle avait dû travailler sur commande pour vivre ; Mehmet marmonne, quel gâchis. Il essaie de sourire mais le tremblement ininterrompu de ses mains, les yeux toujours humides, le trahissent. Aslı, Necmiye, comme avant elles Pınar Selek, trois femmes non kurdes accusées de complicité avec le mouvement armé kurde. À travers elles, et tant d'autres, c'est un avertissement lancé à tous les Turcs qui se piqueraient de solidarité envers les minorités du pays au lieu de profiter de leurs privilèges tranquillement en regardant ailleurs, ce que fait consciencieusement l'Europe pendant qu'ici on emprisonne à tour de bras. Le jour de l'enterrement de Dink était né, avec ce slogan « Nous sommes tous arméniens » qui fut un tournant dans l'histoire de la Turquie, un mouvement de solidarité qui s'était déployé dès 2007, dans la campagne électorale du professeur et ancien éditorialiste d'*Agos* Baskın Oran. Son programme était que « les Turcs défendent les Roms, les Roms les Adyguéens, les Adyguéens les chômeurs, les chômeurs les femmes, les femmes les Alévis, les Alévis les homosexuels » ; voilà ce contre quoi Erdoğan est en guerre aujourd'hui.

Le Sisyphe Mehmet me sort la liste des arrestations des derniers jours qu'il essaie méticuleusement de tenir à jour. Parmi les journalistes, les écrivains, les universitaires emprisonnés, les femmes sont étonnamment surreprésentées. Mehmet ne réfute pas qu'elles puissent être particulièrement visées. Aslı, qui depuis sa prison a réussi à faire passer une lettre à son avocat, se désigne elle-même comme la « sorcière à abattre ». Tout le monde n'y croit pas – on me conseille de ne pas être paranoïaque, argument qui a le mérite de faire mécaniquement augmenter mon degré de suspicion. C'est une personnalité fragile, instable, très émotive. Le fait qu'elle ait été arrêtée après avoir vainement tenté de donner l'alerte ne semble bizarrement pas lui donner raison, elle coche toutes les cases de l'hystérique de service. À l'étranger cependant, la mobilisation en sa faveur prend une ampleur inédite. Son agent littéraire est épaté de l'engouement sans précédent autour de son œuvre. Déjà partiellement traduite en allemand, italien, français, norvégien, bulgare, arabe... elle intéresse désormais l'Espagne, pourtant connue pour être avare de traductions d'auteurs turcs, le Portugal, ailleurs encore. Les manifestations de soutien se multiplient et font grimper les ventes de ses livres en tête des ventes, y compris en Turquie. La caisse de résonance de notre époque, des manifestations mondiales des slogans #JeSuis, du village planétaire, des réseaux sociaux, des pétitions en ligne, donne sa pleine mesure. Et le fait bien sûr qu'elle soit une femme, très belle, qu'elle porte le même nom que le président, qu'elle prêche un humanisme sans détour et sans agressivité, en fait l'icône de mouvements à la limite de l'idolâtrie. Nul doute sur le fait qu'on lui reprochera bientôt, quoi qu'elle fasse, d'avoir tiré bénéfice de cette auréole de gloire qui a fondu sur elle.

La veille de la première audience de son procès, son visage en une du *Monde*, sérieux, lumineux, charismatique. La page circule sur les réseaux sociaux, les amis turcs sont épatés qu'un journal comme *Le Monde* fasse si grand cas de ce qui se passe ici qu'ils en parlent en une. En photo, elle est loin de la chétive personne presque désarticulée, à la voix brisée, qui se tiendrait devant les juges le lendemain, et qui pourtant, résilience de cette femme du *Monde*, malgré le corps si faible, tiendrait tête. Une délégation d'auteurs et de journalistes français, allemands, italiens ont fait le déplacement à Istanbul pour venir au procès. Des journalistes depuis Paris appellent pour recueillir des impressions et je ne sais trop quoi leur dire. L'un d'eux me demande, d'un ton vaguement cynique que je n'aime pas, si je crois *vraiment* que notre présence va changer quelque chose. « Lors du génocide, disait Hrant, si les Arméniens d'Istanbul ont été sauvegardés, c'est parce que dans cette ville se trouvaient les ambassades et les consulats. » Il ne connaît pas Hrant. Je lui cite alors Aslı, puisqu'il semble que les lecteurs de la presse française découvriront avec elle qu'il existe en Turquie des esprits libres : « Sobrement, personnellement, simplement, je ne veux pas être complice. » J'entends dire que certains journalistes français, qui avaient conscience de l'importance de leur présence, ont fait des pieds et des mains auprès de leur rédaction pour venir et n'ont pas pu obtenir de se faire payer le voyage. Pas de nouvelles de la présence d'un symbole comme *Charlie Hebdo*. Il semble qu'une partie de la presse se repose sur des gens comme moi pour trouver et transmettre les informations, et que les rédacteurs en chef de ces journaux qui prétendent incarner la liberté d'expression française ne voient pas l'intérêt de payer de vrais journalistes pour couvrir un moment historique de bascule d'un État de droit dans l'arbitraire. Depuis leur bureau de Paris ils recommandent de faire attention, proposent d'écrire tout en conseillant de ne pas le faire, ils appellent et demandent s'il est bien prudent de parler au téléphone.

La météo se dégrade, il semble qu'il va neiger, le vent se lève. Au point que les ferries risquent de ne pas fonctionner demain ; mauvaise nouvelle, le tribunal est de l'autre côté de la ville, et pas facile d'accès. Tu aurais dû dormir en Europe. Si tu m'avais dit que tu devais y être à neuf heures… En cas d'intempéries il reste le Metrobüs, ce système incompréhensible de bus sur voie réservée qui me fait l'effet d'un coup de dés à chaque fois que je le prends, au moment de découvrir la liste des stations desservies. Je pourrais prendre la moto ? Ben voyons, toi en moto sur le pont sous la neige, laisse-moi rire.

Le palais de justice d'Istanbul est – comment dire – un exemple d'architecture au message éloquent. Immense structure ronde, halls monumentaux, transparence des couloirs et les étages qui donnent vue sur les barrages de police à l'entrée. Gigantesques statues portant plateaux qui vous toisent quand vous abordez les escaliers. Le procès d'*Özgür Gündem* se tient au troisième étage, dans ce qui s'avère être la plus petite salle du tribunal. Aimable taquinerie de l'administration. On est quelques centaines, des journalistes turcs et étrangers, des soutiens, les familles des neufs prévenus, nombre d'avocats en robe venus prendre la température de la justice qui est rendue ces jours-ci, et il y a trente places pour le public pas une de plus. Quatre des prévenus doivent être emmenés de prison, et Eren Keskin, habituée des lieux, est venue par elle-même, puisque pour une raison que personne ne s'explique elle n'a pas été incarcérée. Ils se sont trompés d'adresse en voulant venir l'arrêter me dit-on, et puis, ils ont renoncé. Apparemment la même chose est arrivée à Necmiye Alpay mais Necmiye, elle, a été arrêtée après s'être présentée d'elle-même au procureur de la République, croyant bien faire. Moralité, elle vient de passer cent trente-six jours en prison alors qu'Eren, rien. Ils l'ont comme oubliée, il faut dire qu'elle est bien connue des services de justice, elle a déjà plus d'une centaine de procès sur le dos. Mehmet et sa crinière de lion grille des cigarettes dans le coin fumeur et fait coucou à Eren à travers la vitre, ils se congratulent comme de vieux amis. Eren a été son avocate, dans une autre vie, quand c'était lui qui enchaînait les procès pour avoir monté la population contre l'armée. Tous gagnés, dit-il fièrement, je porte chance. Pendant qu'on attend la tension monte, ça tourne à la manifestation, le public réclame une salle plus grande. Les policiers préparent avec le plus grand sérieux et au faciès la liste des personnes qui seront autorisées à assister à l'audience, ils notent consciencieusement les noms et certains refusent catégoriquement de se faire enregistrer dans cette antichambre de la disparition de l'État de droit en Turquie, et puis quoi encore, vous nous prenez pour des pigeons. Les étrangers sont privilégiés au détriment des journalistes turcs, ça échauffe les esprits. Une grande brune qui parle trois ou quatre langues perd son calme et postillonne sur le garde, sans succès. Une femme bouclée intercède avec un calme sidérant auprès du policier buté, faisant appel à sa compassion, ses sentiments de père, d'homme turc juste et travailleur. Les portes s'ouvrent. Les journalistes refoulés s'interrogent les uns les autres, quelques députés du parti kémaliste se sont déplacés et font des déclarations plutôt que d'écouter ce qui se passe à l'intérieur où apparemment se prépare une démonstration de force de la bureaucratie. Un avocat ressort de la salle furieux pour dire que seules Aslı et Necmiye ont été sorties de prison. Des rumeurs circulent, les deux garçons seraient bloqués par la neige, il n'y aurait pas de fourgon disponible pour les emmener, l'un d'eux serait en sale état suite à des tortures et ne pourrait être montré à la presse – plus tard, on me dira que ce n'est pas vrai, qu'ils ont été brutalisés, mais pas torturés. Le procès démarre donc sans les deux responsables du journal qu'on accuse de vouloir déstabiliser l'État. La lecture de l'acte d'accusation prend des plombes, la guerre des nerfs est en marche.

Dans une des chroniques parues dans *Özgür Gündem* pour lesquelles elle est poursuivie, Aslı raconte un jour d'hiver comme celui-ci sans doute, pluvieux, il y a deux ans, à l'ouverture du procès des complices de l'assassinat de Hrant. Trois femmes attendaient devant le tribunal, aux premières heures du matin, des photos de Hrant à la boutonnière. Un homme passe près d'elles, identifie « l'Arménien qui a été assassiné » et lâche : « Bien fait ! » Hrant était un familier des tribunaux, il était venu soutenir plusieurs fois des confrères victimes des hoquets du nationalisme du début des années 2000 qui s'incarnaient en un nombre : 301, l'article du Code pénal punissant l'insulte à l'identité turque. Présent au procès d'Elif Şafak, auteure à succès poursuivie pour avoir parlé des « bouchers turcs de 1915 » dans son roman *La Bâtarde d'Istanbul* – lequel mettait d'ailleurs en abîme un caricaturiste lui-même accusé de dénigrement de l'identité turque. C'est à ma connaissance le seul exemple de procès où un auteur eut à répondre des propos tenus par un personnage – le roman ridiculisant par ailleurs passablement la diaspora arménienne et sa haine ignare de la Turquie. Quelques mois plus tard comparaissait Orhan Pamuk, poursuivi au titre du même article 301 pour avoir déclaré en interview : « Un million d'Arméniens et trente mille Kurdes ont été tués sur ces terres, mais personne d'autre que moi n'ose le dire. » Personne n'osait le dire peut-être, car comme le prédisait Hrant, « il y a l'intime conviction commune que le prix à payer, dans pareil cas, peut être pire qu'une sanction pénale ». Le procès d'Orhan Pamuk, extrêmement médiatisé en raison de la notoriété de l'auteur, futur Prix Nobel, avait tourné court et grâce à la pression internationale sans doute, il n'avait pas été condamné. Épiphénomène passé inaperçu des médias mais pas des nationalistes, la présence de Hrant au procès de Pamuk avait généré une quasi-émeute. Les fascistes, venus en nombre, le forcèrent à quitter le tribunal, faisant la preuve de leur position de force, si ce n'est devant les caméras internationales, du moins auprès des Turcs. Peu après – chaque saison de ces années 2000 apportant leur lot de procès en 301 –, l'écrivaine Perihan Mağden était à son tour poursuivie, pour une fois sans rapport avec les Arméniens mais pour avoir défendu dans un éditorial l'objection de conscience. Hrant était venu mais, reconnaissant les mêmes agitateurs qui l'avaient agressé au procès de Pamuk et ne voulant pas leur donner le prétexte d'un nouveau coup d'éclat, il était parti de lui-même de peur que sa présence nuise à l'accusée, et s'en était platement excusé auprès d'elle. Quelques semaines plus tard c'est lui qui comparaissait, au titre de l'article 301 de l'air du temps. Peut-être parce que chacun des procès précédents s'était soldé par un non-lieu, personne n'est venu le soutenir. « Je me demande pourquoi mon propre procès n'a pas connu la même sensibilité ni le même empressement que les autres. Il me faut absolument connaître la réponse à cette question », écrivit-il. Cause ou coïncidence, pour changer, la procédure s'était soldée par une condamnation à six mois de prison dans cette affaire de phrase alambiquée sur le poison turc dans le sang arménien. Il franchirait de nouveau la ligne blanche, déclarant à l'agence *Reuters* : « Bien sûr que 1915 fut un génocide. Au bout du compte, un peuple qui a vécu quatre mille ans sur ces terres a totalement disparu. » Pour ces propos, repris dans *Agos*, dans *Radikal et Milliyet*, seul *Agos* fut poursuivi. Pourquoi ? « Il me faut absolument connaître la réponse à cette question » insistait Hrant et des années plus tard, Pınar Selek y répondrait simplement, comme une évidence, en couverture de son livre : *Parce qu'ils sont arméniens.* Ararat Dink représenterait son père au tribunal post mortem pour ce dernier procès, et il recevrait la condamnation, plus lourde encore que celle infligée du vivant de Hrant : un an de prison avec sursis…

Je demande à un avocat qui attend là si nous devrions, nous autres qui tâchons de relayer la parole d'Aslı auprès des médias internationaux, faire attention à ce qu'on dit, pour ne pas aggraver son cas d'une poursuite au titre de l'article 301. Il se marre quand j'évoque l'article 301 et balaie la question du revers de la main ; pour toi, fais attention, surtout sur les réseaux sociaux. Mais Aslı risque déjà deux fois la perpétuité ; alors le 301…

Erdal Doğan, lumineux avocat de toutes les causes minoritaires, kurdes, arméniennes, alévies, a la chaleur spontanée des Anatoliens. Je n'ai pas connu Hrant, mais je l'imagine comme ça, me dis-je en écoutant Erdal agiter ses grandes mains, son air désolé quand il me parle droit dans les yeux en turc et qu'il voit que je décroche, que je me tourne vers quelqu'un qui puisse me traduire ses tirades. Il raconte qu'après avoir épuisé tous les recours en Turquie, il se sont réunis, les avocats et des amis d'*Agos*, et tout le monde a conseillé à Hrant de quitter le pays maintenant, en attendant que la Cour européenne dise le droit. Hrant qui avait déclaré, quelques années plus tôt, « je n'ai jamais pensé, ne serait-ce qu'un seul jour, que je pourrais abandonner mon pays pour m'établir dans ce paradis des libertés toutes prêtes qu'on appelle l'Occident », s'était presque laissé convaincre. Erdal lui avait demandé au moins d'écrire là-dessus, sur ce qui lui arrivait, les menaces, la vie devenue impossible pour lui dans son pays. Hrant disait d'accord mais n'avait pas l'air de le penser vraiment, et Erdal a insisté tant qu'il a pu. Au moment de partir, Hrant a fait demi-tour et a serré Erdal sans ses bras, il a promis qu'il écrirait. Et c'est ce qu'il a fait, ses deux derniers éditoriaux. *Pourquoi je suis devenu une cible* et *Le Cœur inquiet des colombes* sonnent comme les paroles d'outre-tombe d'un mort qui se retourne sur ses derniers jours. Après ces textes-là, après l'assassinat surtout, tout le monde s'est découvert le meilleur ami de Hrant. Mais moi dit Erdal, je sais que quand on se présentait au tribunal ce n'était pas comme aujourd'hui – près de dix ans jour pour jour après sa dernière entrevue avec Hrant, Erdal assure la défense d'Aslı Erdoğan, entouré de dizaines de soutiens du monde entier. C'est pour ça que je l'aime bien Aslı dit-il simplement, elle était là avec nous quand il n'y avait personne.

Il y a des gens qui connaissent bien la loi turque, mais qui n'ont pas encore compris que le droit ici et maintenant ne vaut plus rien ; ils disent qu'une pause de l'audience est obligatoire toutes les deux heures et que donc il va bientôt y avoir une pause. Or ça fait deux fois deux heures, et le juge apparemment ne compte pas s'arrêter. Il reste encore à passer les témoignages des prévenues, et les plaidoiries des neuf avocats. Certains craquent et partent déjeuner, j'en profite pour prendre la place d'un camarade qui me fait le cadeau de sortir, c'est plus sélect qu'une boîte parisienne, cet endroit ; je m'assois à côté d'une journaliste qui me traduit ce qui se passe. La plaidoirie d'Aslı, quatorze pages manuscrites lues dans un silence religieux, circule dans la salle. Elle commence par ce vœu, « Je vais me défendre comme si le droit existait encore ». Necmiye Alpay prend aussi la parole, d'une voix où se disputent la fatigue et la colère de quatre mois de détention. Puis Eren Keskin et son maquillage provocateur. On m'a raconté qu'elle avait commencé à se farder par esprit de contradiction, quand au sein des milieux féministes kurdes on prônait l'abandon des codes aliénés de la féminité. Les yeux au khôl oriental fusillent le policier qui s'apprête à se poster à côté d'elle. Elle lui fait comprendre de rester à sa place, et personne ne moufte. Elle n'a pas préparé de plaidoirie pour sa défense. Elle laisse juste exploser son indignation d'être une fois de plus traînée devant la soi-disant justice qu'elle ne reconnaît plus. Ça fait vingt-cinq ans que je suis avocate dans ce pays et j'ai honte pour nous. Elle se rassoit sans attendre d'éventuelles questions. Écrit en lettres dorées sur le mur derrière le juge qui répète avec lassitude à l'intention du greffier ce qu'il faut retenir de l'intervention d'Eren, on lit : « La justice est le fondement du territoire. »

Puis c'est le tour des avocats. Ils sont neuf à prendre la parole, on va y passer la soirée et aucune pause depuis ce matin, on a faim, froid, la salle se vide petit à petit, les traducteurs déclarent forfait, le juge s'ennuie ostensiblement, comme réveillé en sursaut quand une des avocates lui lance, vous ne devriez pas être si désinvolte avec la justice, vous pourriez en avoir besoin aussi un jour. La salle pouffe et le juge s'énerve, crie qu'on le menace, menace à son tour de suspendre l'audience et tout le public déjà bien lassé de cette confrontation qui s'éternise demande clémence pour la pique de l'avocate. Demirtaş, le chef du parti d'opposition qui enchaîne également les procès ces temps-ci, a déclaré avec mansuétude qu'il n'en voulait pas à ses juges, puisqu'il savait qu'en l'état actuel du pays, c'était eux ou lui. Le juge en charge du procès des policiers dans l'affaire Hrant Dink vient d'être démis de ses fonctions, accusé d'être trop proche des putschistes. Quelques jours plus tard dans *The Guardian*, l'écrivaine Ece Temelkuran signera une tribune intitulée « La vérité est une cause perdue pour nous » : « C'est comme jouer aux échecs avec un pigeon : même si vous jouez selon les règles, le pigeon va renverser toutes les pièces et finalement chier sur le plateau, vous laissant gérer le bordel. Soyez prévenus. Depuis quinze ans, nous jouons aux échecs avec un pigeon en Turquie, et maintenant nous n'avons même plus d'échiquier. »

Contre toute attente – mais il faut bien que l'arbitraire réserve aussi de bonnes surprises –, Aslı et Necmiye sont libérées en conditionnelle, en attendant la suite de la procédure qui peut durer des années. La joie qui nous a cueillis en bout de rouleau est douchée par la pluie glaciale qui tombe sans interruption sur Istanbul. Au moins elles ne passeront pas ces prochaines semaines d'un hiver particulièrement rude en prison. On se donne rendez-vous pour la prochaine audience, le 2 janvier, se promettant d'aller boire des verres ensemble très vite.

Je rentre à la maison lessivée, envie d'une parenthèse, de boire du thé, de chaleur, d'intimité. Mes colocataires ont décidé d'aller passer le réveillon du Nouvel An à la montagne, de toute manière tous les lieux festifs d'Istanbul sont sous alerte rouge, les conseils pleuvent des ambassades et des radios recommandant de rester chez soi ce soir à l'abri d'un possible, on n'ose pas dire probable, attentat. On loue une voiture et quelques heures plus tard, nous voilà bloqués dans la neige, les pneus enlisés, incapables de mettre les chaînes, on décide de faire les deux derniers kilomètres à pied, guidés par le GPS de nos smartphones citadins alors que la nuit tombe, Metin n'arrête pas de dire qu'on est bientôt arrivés et qu'on est à quatre cents mètres à vol d'oiseau, au début on y croyait mais ça fait plus d'une heure qu'on est à quatre cents mètres à vol d'oiseau et à vol d'oiseau le refuge pourrait aussi bien être sur l'autre versant de la vallée non, si au moins on était sûrs d'être sur la bonne route. Ruqia en petites ballerines ne fait que glisser sur le verglas, je commence à avoir un fou rire, on se dit que ça pourrait finir comme ça, nos corps retrouvés gelés au bord de la route, trois imbéciles qui ont cru malin de profiter de la nature avant de passer en 2017. Bien fait, comme qui dirait.

Non contents d'être paralysés par la neige, les montagnards sont également privés d'électricité. Toujours fascinant de voir que les premiers témoins de l'échec d'Erdoğan, qui a le culot d'avoir fait de la fée électricité son logo et d'avoir intitulé son parti « Parti de la Justice et du Développement », sont ceux qui continuent le plus fidèlement à voter pour lui. Ils blâment les Russes qui ont coupé les livraisons de gaz, soupçonnent un éventuel mais toujours possible complot de la C.I.A., et aussi, plus probable, le non-changement d'heure cet hiver – pour la première fois la Turquie a décidé de régler ses horloges sur celles du Proche-Orient plutôt que sur l'Europe, faisant augmenter la consommation d'électricité de 10 %, et voilà le résultat : pas de chauffage autre que le feu, pas d'eau chaude ailleurs que dans le thé, pas de wi-fi. On apprend l'attentat du Reina, qui fait trente-neuf morts dans une boîte de nuit huppée, sur le chemin du retour à Istanbul. Notre appartement est lui aussi plongé dans le noir. Metin qui est de permanence auprès de ses clients étrangers s'installe devant son ordinateur, répond aux vœux de bonne année sans gâcher l'ambiance, n'osant pas dire qu'il s'éclaire à la bougie, que son téléphone portable pallie la défaillance de la connexion internet, et qu'ici on compte les morts de l'autre côté du Bosphore.

Le lendemain matin, fidèle au poste de justice pour la deuxième audience du procès d'*Özgür Gündem*, sans comparaison avec la première. Il n'y a quasiment plus de public et très peu d'étrangers – au point qu'un témoin vient me demander les yeux dans les yeux si je suis une espionne – le juge est plus détendu, et à part un problème apparemment insurmontable qui à nouveau empêche que soit présenté à la Cour l'un des accusés retenus en prison, tout a l'air de se dérouler presque normalement. Aslı et Necmiye ne souhaitent rien ajouter à leurs déclarations précédentes, leurs avocats demandent sans grand espoir que leur soient rendus leurs passeports – mais quatre des inculpés étant d'ores et déjà hors d'atteinte à l'étranger sans intention de revenir, d'autres cas médiatisés ayant aussi réussi à fuir, les charges contre elles étant certes grotesques mais extrêmement lourdes, le juge hausse les épaules. Le rédacteur en chef d'*Özgür Gündem* est cette fois présent. Un jeune homme, à peine trente ans je dirais ; mon âge. On m'explique qu'il a exercé ses fonctions au sein du journal seulement huit jours.

Ça fait donc dix-sept jours de prison déjà effectués pour chaque jour en fonction – en comptant le week-end. Il risque la prison à vie, quelle peut bien être l'espérance de vie dans les geôles turques quand on y entre si jeune. Le juge lui parle durement. Il le tutoie, ce qu'il ne faisait pas pour Aslı ni Necmiye. Il l'appelle par son prénom turquisé, alors que nous le connaissons sous son nom kurde. Il demande des comptes sur les livres qui ont été arrêtés au siège du journal, Necmiye sursaute, demande la parole, personne « n'arrête » les livres. Le juge se défausse, dit qu'il ne fait que citer le procureur, et corrige une erreur faite par le greffier en se félicitant que nous soyons désormais tous très attentifs aux mots que nous utilisons. La fondatrice du Parti vert est également auditionnée, elle baratine je ne sais quoi sur Bodrum, elle dit qu'elle n'aime pas Istanbul et qu'elle veut rentrer chez elle à Bodrum comme si c'était un argument quand on est accusé de participation à une entreprise terroriste ; mais ça fait sourire le juge, qui finit par couper court en disant qu'on a compris que Bodrum c'était plus sympa qu'ici. On préférerait tous être ailleurs aujourd'hui.

On en sort deux heures plus tard sans grand changement à la situation, un rendez-vous devant le même juge dans trois mois, quoique ni le juge ni les accusés ne savent qui d'entre eux sera encore en liberté dans trois mois. On décide de marcher jusqu'aux locaux du journal *Cumhuriyet* dont le livreur de thé qui était en garde à vue pour avoir insulté Erdoğan vient d'être relâché. Les policiers occupent les locaux du journal, on s'entasse dans le bureau du rédacteur en chef, l'ex-bureau de Can Dündar qui est désormais en exil en Allemagne et pas près de revenir. Il n'y a pas assez de chaises, Necmiye me fait signe de m'asseoir sur l'accoudoir à côté d'elle pour la traduction. On trinque, en hommage au porteur de thé qui avait refusé de servir le président, et à la santé des journalistes encore en prison. Une photo surréaliste immortalise ce moment où boire du thé en Turquie pourrait passer pour un acte subversif. Elle est publiée en ligne, et je reçois presque aussitôt un message amusé : Si toi et tes copines terroristes voulez boire autre chose que du thé, on a des bières au frais au Muz.

On s'arrête acheter des cigarettes à un petit kiosque, le vendeur dévisage Aslı longuement, expression fermée, il hésite avant de lui tendre le paquet juste le temps qu'on ait peur que ça tourne mal et finalement, fait le signe qu'elle n'a pas besoin de payer, c'est cadeau. Assises au fond du minibus, on parle en anglais pas trop fort, mais on voit bien que le type devant nous écoute, et le chauffeur a le regard rivé sur le rétroviseur. Un ami a prêté son téléphone portable à Aslı le temps qu'elle récupère sa ligne, elle manipule l'appareil comme si la technologie avait fait d'incompréhensibles progrès depuis qu'elle est entrée en prison. Elle sourit, peut-être serez-vous arrêtés vous aussi pour m'avoir aidée. Le minibus nous dépose à Kadıköy et on discute un peu sur la place avant de se séparer. Toutes deux d'habituelles marcheuses de nuits solitaires et glacées, on est dans notre élément, on se raconte des histoires d'anciennes danseuses. Aslı fait en riant un entrechat un peu raide, inattendu, quand tout à coup au coin de la rue débouchent trois militaires lourdement armés, cagoulés. Probablement une ronde de nuit, conséquence de l'état d'urgence. Aslı se fige. Ils viennent pour moi – et tout de suite elle se reprend, s'autocensure – tu sais quand ils ont débarqué chez moi ils étaient des dizaines, avec les masques, ils ont braqué leur arme comme ça. Elle fait le geste de pointer vers moi et se ravise, elle pointe sur elle, en plein milieu de la poitrine, le menton relevé. Je vais y aller, bonne nuit.

Je fais quelques pas vers chez moi et je ne peux pas, je longe le bord de l'eau, instinctivement, vers mon ancien appartement, la lumière est allumée, je sonne. Il dit, pas de problème, monte. Je suis tremblante. J'avale un whisky, deux. J'envoie un message à Aslı pour savoir si elle est bien arrivée, sans réponse. J'ai des douleurs dans les gencives, des crampes dans les mains. Je suis sur le point de prendre un troisième verre mais la bouteille est confisquée, elle a dû aller se coucher et tu devrais faire pareil. Je ne peux pas aller me coucher, j'ai envie de vomir, j'ai l'impression d'être prise dans un engrenage déjà vu, mais trop tard, qu'on ne peut rien faire pour empêcher… Empêcher quoi ? Le corps de Hrant à terre, le drap blanc qui se soulève malgré la flaque de sang qui le colle aux pavés. Naji abattu d'une balle de silencieux en pleine rue à Antep. Les deux voisins du dessous à Urfa décapités. Tahir Elçi qui court et le policier qui se retourne et tire. Mais non, ça ne peut pas être aussi simple. Je suis interloquée, ça ne peut pas être aussi simple, qu'est-ce qui est simple là-dedans, ma voix déraille et c'est lui qui s'énerve, arrête avec ça, arrête. Sa voix résonne partout, dedans, dehors et le silence qui suit est trop pesant, je me mets à pleurer, il sort fumer sur le balcon. Quand il rentre je me suis recroquevillée sous la couette, il s'agenouille au pied du lit, le menton sur les mains. Toute la douceur du monde dans ce regard. Il dit en turc en posant la main sur mon front, n'aie pas peur – le premier mot de l'hymne national.

Ruqia, qui travaille pour une agence d'émigration des réfugiés syriens vers les États-Unis, est au chômage technique depuis le *Muslim Ban* de Trump. Elle est un peu désemparée, on est censés faire quoi, maintenant ? Je lui propose de me servir d'interprète, et qu'on aille interroger M[e] Doğan. Je demande si Aslı est en sécurité en ville. Erdal hésite, écoute j'ai déjà perdu un client, assassiné en pleine rue, que puis-je dire. Personne n'est en sécurité, ni elle ni toi ni moi ni les gens qui passent dans la rue. Mais une chose est sûre, il vaut mieux être dehors qu'en prison. Ils passeront les prisonniers politiques par les armes au premier mouvement d'instabilité politique.

Hrant écrivit le jour de sa mort : « J'ignore jusqu'à quel point ces menaces sont réelles et je n'ai évidemment aucun moyen de le savoir. Ce que je trouve vraiment insupportable, c'est la torture psychologique qu'il me faut supporter dans la solitude [...] Je me sens exactement comme une colombe ; comme elle, occupé à scruter à droite et à gauche, devant et derrière moi

[…] Savez-vous, Messieurs les Ministres, ce que cela représente pour un homme d'être enfermé dans l'inquiétude d'une colombe ? […] mais je sais aussi que les gens de ce pays ne touchent pas aux colombes, qui vivent dans le cœur des villes au milieu des foules humaines. Craintives certes, mais libres. » Moi je me souviens d'avoir lu ailleurs une autre hypothèse, moins optimiste. Cinq ans avant que Hrant se rassure tout haut en disant que dans ce pays on ne faisait pas de mal aux colombes, Murat Uyurkulak écrivait : « Je sais que les oiseaux brûlent. L'État mène la vie dure aux jeunes. Les ouvriers, les dockers, les paysans, les minorités en colère se heurtent à la police. J'ai la nostalgie de mon faubourg perché, de ma misère, de ma masure […] Et un jour ça y est… Je me mets à hurler : *Rends-moi ma vie et mon honneur. Rends-moi ma virilité, ma féminité, mon animalité. Rends-moi ma vie, mon Esmer, mon Ada, rends-moi ma colline. Rends-moi ma vie et mes balles…* Et je rentre chez moi. » Je me demande qui, pourquoi on brûlerait les oiseaux, Murat explique que les pigeons voyageurs étaient accusés de porter les messages des terroristes, mauvais augures annonciateurs de bombes. Je croyais qu'en Turquie le pigeon était un oiseau lié à la liberté, à l'innocence. Yaşar Kemal, le plus populaire des conteurs turcs, dans l'un de ses derniers textes, raconte qu'à mémoire d'homme on peut se souvenir d'un temps où sur la place Taksim, dans le parc Gezi qui n'était pas encore le tombeau d'un adolescent tué par la police, les enfants des rues vendaient pour quelques livres des oiseaux capturés sur le plan de Florya, qu'ils entassaient dans des cages et dont ils marchandaient la liberté aux passants compatissants en échange d'une place au paradis. « Ce n'est pas nous qui avons inventé cette coutume, elle existe de toute éternité, depuis toujours, les oiseleurs capturent les oiseaux et les gens d'Istanbul les remettent en liberté [...] Taksim est le quartier de la ville où passe le plus de monde, et dans cette foule, ne risque-t-on pas de rencontrer quelques hommes, quelques femmes qui auraient conservé un tout petit peu d'humanité, prêts à donner quelques sous, pour remettre en liberté ces tout petits oiseaux, heureux, tout fiers ? » En traversant la place Taksim avec Aslı nous avons croisé un vendeur de rue, je ne me souviens plus de ce qu'il vendait. Pas d'oiseaux en tout cas, je n'ai jamais vu cela ici. Il a reconnu Aslı, pas parce qu'il l'avait vue dans les journaux, mais parce qu'elle était déjà passée par là avant, qu'elle avait dû lui parler, lui donner de l'argent, lui plaire. Il dit que ça fait longtemps, lui demande où elle était passée. Lui demande l'aumône, elle n'a évidemment pas un sou après plus de quatre mois de prison mais elle sort quand même une pièce de sa poche. Le type la remercie de sa gentillesse, dit que les temps sont durs.

« Devant moi, conclut le roman de Yaşar Kemal, s'élevait le symbole de la défaite de la ville d'Istanbul, de son insensibilité, de son oubli de toute charité, de ce qui avait fait d'elle ce qu'elle avait été, de tout ce qu'elle avait perdu : un monument fait de centaines de têtes d'oiseaux. »

Il fait tellement froid, je piétine pour sentir mes pieds, le bruit de l'hélicoptère qui nous survole me monte à la tête. Aslı est réfugiée sous un porche un peu à l'écart, elle essaie de se faire discrète mais on la reconnaît, on la pointe du doigt, son bonnet rose fait penser à celui que portent les Américaines vues dans les médias il y a quelques jours, à la Marche des femmes contre Trump. Rassemblés pour l'anniversaire de l'assassinat de Hrant, quelques centaines, peut-être milliers de personnes agressées par le froid et la pluie, des jeunes des vieux, des femmes voilées, des bonnes têtes d'Anatoliens, des cheveux colorés bleus, rouges, henné, et deux femmes tout juste sorties de prison, venues porter leur pancarte noir et blanc « Nous sommes tous Hrant », en arménien et en turc, « Nous sommes tous arméniens ». Sur une pancarte aussi, « Justice pour Hrant Dink et pour Tahir Elçi » ; mais en plus gros sur la façade des anciens locaux d'*Agos*, au-dessus de la dalle marquant le lieu où il a été abattu, en énorme cette évidence : « 10 ans sans Hrant, 10 ans sans justice. » Aslı acculée par les manifestants qui veulent lui serrer la main, prendre une photo avec elle, sourit, sincère et épuisée et toujours je crois un peu incrédule, se débattant avec sa soudaine inopportune notoriété. Rakel Dink monte à la tribune, entourée de ses enfants, pour la dixième fois ce 19 janvier. En 2007 devant le cercueil de Hrant elle lâchait une colombe qui alla se poser directement au milieu de la foule, sur le cercueil, et prononçait cette phrase, de sa voix perçante qui nous file des frissons, cette voix déchirée qui n'a plus cessé de crier depuis, cette voix dont l'existence est en elle-même un acte de révolte : « Mes frères, si nous ne questionnons pas les ténèbres qui ont changé des bébés en meurtriers, nous n'en sortirons jamais. » Il va sans dire que nous n'en sommes pas sortis. Dans un article du 23 janvier 2007 intitulé « Qui a tué Hrant Dink ? », le *Monde diplomatique* dressait cet état des lieux qui se voulait alarmiste : « Au cours de ces quinze dernières années, dix-huit autres journalistes ont été assassinés en Turquie, et douze sont actuellement emprisonnés. » Douze ! Une bagatelle vue de 2017. Les chiffres du jour donnent cent quarante-six journalistes derrière les barreaux, et le nombre d'assassinats et de « suicides » en prison reste l'angle mort de tous les rapports. Dans le même temps, le procès ouvert pour élucider les complicités de l'assassinat de Hrant fluctue au gré des instrumentalisations politiques – évidemment, dans l'air du temps, on découvre de nouveaux coupables proches du mouvement Gülen. Dans l'effondrement général seul l'humanisme de Rakel, son indignation sans haine, sont demeurés intacts, survolant la mêlée en répétant inlassablement les mêmes messages de paix. « Il ne s'agit pas seulement de vivre ensemble mais, plus important, de vivre heureux et égaux. Et libres, et dignes. Allons, finissons-en avec l'inquiétude des colombes dans ce pays. » En se dispersant, les manifestants plantent au pied des arbres leurs pancartes noir et blanc, semant de part et d'autre des barrages de flics de silencieuses sentinelles qui répètent en écho sur toute la longueur du boulevard, en turc et en arménien, « Pour Hrant », « Pour la justice », « Nous sommes tous arméniens ».

Dîner au chaud chez Mehmet au milieu des hippos avec la princesse du Caucase et Sibel, qui a réalisé un court-métrage en soutien à Aslı pendant qu'elle était en prison et n'avait jamais eu l'occasion de la rencontrer. Sibel est impressionnée, elle parle trop, Aslı écoute poliment en se massant la nuque, elle a des séquelles de son séjour en prison. Elle n'a pas encore pris le temps de voir un médecin et le froid n'aide pas. Je ne sais pas comment la conversation dérive sur la danse classique, Aslı aime parler de danse et on compare la forme de nos mollets pour voir laquelle a gardé le plus de traces de ses années de ballerine. Princesse se fait traduire, pour une fois qu'on ne parle pas de politique le contenu de la conversation l'intéresse, je le lui fais remarquer – elle hoche la tête et en profite pour me demander solennellement mon autorisation pour m'utiliser comme personnage dans son prochain film. Je grimace, depuis quand demande-t-on aux gens leur autorisation pour les utiliser. Sibel dit que ce n'est quand même pas compliqué de changer les noms, Princesse fait la moue, je ferai bien ce que je veux.

Dans le taxi du retour, il neige et l'on n'est pas bien sûres que le pont soit ouvert à la circulation. S'il ne l'est pas, on est bloquées sur la rive européenne. Le taxi essaie de nous convaincre de nous laisser à l'embarcadère et qu'on prenne le ferry (si ferry il y a) et un autre taxi une fois sur la rive asiatique, mais non merci, il est minuit passé, aucune envie de se retrouver à errer dans la neige à Üsküdar. Bougon, il accepte de se lancer sur le pont, pour une fois complètement désert. Éclairé de cette horrible lumière rouge qui commémore la nuit du coup d'État, la nation triomphante et le sang des martyrs tombés pour le rouge drapeau. On roule beaucoup trop vite vu la neige, ça m'irrite, et en arrivant sur la rive asiatique le chauffeur, sans doute impatient de se débarrasser de nous, décide de prendre un raccourci et s'engouffre bille en tête dans un sens interdit. Je m'indigne, il pile, dérape, manque de heurter un poteau, se retourne pour savoir quel est mon problème, je montre le panneau qui le fait franchement rire, ça détend l'atmosphère. Il redémarre en faisant coucou au sens interdit et articule dans son meilleur anglais *Welcome to Middle East Milady.* Aslı me pose des questions sur mon livre, je dis que je ne veux pas changer les noms, c'est important un nom quand même – expliquer cela à une femme qui s'appelle l'Authentique. Elle n'en fait pas grand cas, que ce soit sa propre activité d'écriture, ou le fait que récemment son image lui ait complètement échappé ; elle demande ce que mon personnage principal en pense.

Mais comment est-ce possible que je sois le personnage principal de cette galerie de martyrs, qu'est-ce que je viens faire là-dedans moi ? Je hausse les épaules, tu te poses la question pour le livre seulement ? Il botte en touche. Est-ce qu'à la fin de ton bouquin ils vécurent heureux et eurent beaucoup d'enfants ? Je ne cache pas que ça m'a l'air mal parti. Il réfléchit un peu, demande si c'est bien une fiction et comme je dis oui, on fait ce qu'on veut, il demande, si c'est possible, j'aimerais bien avoir une BMW au lieu de la Vespa.

Un député de l'opposition mis en examen a appris via Twitter, de sources proches du gouvernement, qu'il a été condamné alors que le juge n'a pas encore rendu son verdict. Metin trouve cela hautement comique mais Zehra dit, je n'ai plus vraiment envie de rire, sincèrement. Je demande depuis quand. Elle réfléchit, elle dit, depuis qu'on a vu les policiers poser à côté du meurtrier de Hrant avec le drapeau turc. Qu'est-ce qu'un pays où l'on peut assassiner un homme en pleine rue et être congratulé par ceux qui étaient censés le protéger ? Après ça pour moi, c'en était fini de la Turquie – de la Turquie et de l'humour, cette arme du pauvre. Nous avons *vraiment* besoin d'aide. Ece Temelkuran regrette aussi la force perdue de l'insolence de Gezi, quand les manifestants se déguisaient en pingouins pour faire la nique aux chaînes télé progouvernementales qui diffusaient des documentaires animaliers pour ne pas avoir à couvrir la révolution en cours : « À l'époque, c'est apparu comme un moyen de résister, extrêmement puissant et subversif. Mais petit à petit, cet humour est devenu du sarcasme, si systématique qu'il a tenu lieu de manière de penser. C'est alors, dit Ece, que nous avons perdu notre sérieux dans ce combat. Et maintenant il n'y a plus rien dont on puisse rire. »

Je suis obligée de dire mon désaccord avec cette dernière affirmation à la lecture de la plaidoirie du journaliste Ahmet Altan, accusé d'avoir envoyé des messages subliminaux (mais oui, on ne s'ennuie pas en lisant les actes d'accusation ces jours-ci) aux putschistes. Il risque trois fois la perpétuité (on lui a aussi trouvé des complicités avec le PKK, entre autres choses), ce qui est assez sérieux pour le dispenser de verser dans le pathos. En raison de la notoriété de l'auteur, sa plaidoirie préparée en prison et qui doit être lue au tribunal a d'ores et déjà été publiée en turc, traduite et imprimée en anglais, distribuée sous cette forme aux journalistes, diffusée en ligne et aussitôt traduite en de multiples langues, notamment en français sur le site Kedistan. Puisqu'il faut bien trouver un intérêt à la « pornographie judiciaire », comme la qualifie Ahmet Altan, dont nous repaît le régime depuis des mois, il faut bien dire que la perspective de voir défiler à la barre les plus brillants auteurs, intellectuels, polémistes de ce pays, promet des morceaux d'anthologie. Question panache, Ahmet Altan réglant son compte au rond-de-cuir qui s'est aventuré à rédiger l'acte d'accusation le concernant commence très fort : « On prétend que j'aurais discrédité l'enquête en disant qu'il n'y a "pas de liberté de pensée" Permettez-moi d'abord d'apprendre la mauvaise nouvelle au procureur. Votre enquête ne bénéficie d'aucun crédit. Ni en Turquie ni ailleurs dans le monde [...] Regardez le nombre de fois où j'ai parlé à Ekrem Dumanlı et si ce nombre est plus élevé que le nombre de fois où Ekrem a voyagé à bord de l'avion de Tayyip Erdoğan, nous pourrons discuter de savoir si le fait de parler à Dumanlı est un crime, ou non. Mais si Dumanlı a parlé à Erdoğan dix fois plus qu'il ne m'a parlé, ne venez plus m'embêter avec des stupidités pareilles [...] J'adore, lorsque des affirmations aussi vagues, vides et inutiles se pavanent devant nous, sous le vocable du droit ! [...] Je me moque complètement de votre prison [...] Je ne suis pas le type d'homme qui agira avec lâcheté et qui gaspillera les décennies qui sont derrière moi par égard pour les quelques années qui sont devant moi. »

Zehra ne partage pas mon enthousiasme, elle s'agace, le beau combat de coqs. C'est comme ce mégalomane de Demirtaş (les garçons au comptoir sifflent en chœur en entendant critiquer le leader de l'opposition qui fait habituellement l'unanimité au Muz) ; depuis qu'il est en prison il paraît qu'il ne trouve rien d'autre à faire qu'écrire des romans d'amour. Comme si on pouvait encore se permettre d'écrire des romans d'amour ! J'essaie de trouver en ligne trace de ces nouvelles transies que le supposé terroriste Demirtaş serait en train d'écrire du fond de sa cellule. Je me console de la violence faite à ces esprits éclairés et sensibles en me disant que les prisons turques n'ont jamais été si bien fréquentées qu'aujourd'hui, et que sans doute s'y tiennent les plus pointus des salons littéraires d'Istanbul. Une blague circule, racontant qu'un détenu a fait demander à la bibliothèque de la prison un roman d'Ahmet Altan, et que le gardien serait revenu bredouille en disant que le roman en question n'était pas disponible, mais qu'on pouvait s'adresser à l'auteur quelques cellules plus loin. Je cherche à mon tour les romans d'Ahmet Altan disponibles en français, voilà qu'il s'est essayé à l'eau de rose lui aussi, j'en trouve un intitulé *L'Amour au temps des révoltes*. Je donne raison à Zehra au moins sur un point : le titre est kitsch. Elle tire la langue aux garçons, Berkin dit, je ne dois rien comprendre à ton livre alors, il me semblait que c'était exactement ça ton sujet.

Le député arménien Garo Paylan s'est fait exclure du Parlement. Pour avoir prononcé le *g-word.* Le vide se fait autour du parti d'opposition HDP, dont bon nombre d'élus sont actuellement en prison et multiplient les grèves de la faim en protestation contre les conditions de détention. Les députés du HDP ont été déchus de leur immunité parlementaire, dans la plus grande indifférence de leurs collègues de l'opposition et européens, jetés en prison, bientôt déchus de leur mandat également, histoire d'être sûr que du fond de leur geôle ils n'entravent pas le vote du référendum qui doit donner tous les pouvoirs au président Erdoğan. Garo Paylan fait partie des rares qui n'ont pas été arrêtés, pas encore en tout cas, il siégeait donc aux séances parlementaires, au cours desquelles il n'est plus inhabituel que les députés en viennent aux mains. Garo a fait un discours appelant à l'apaisement, rappelant les ravages qu'a déjà pu faire le nationalisme dans ce pays. « Entre 1913 et 1923, nous avons perdu quatre peuples : Arméniens, Grecs, Syriaques et Juifs. Ils ont été déportés parmi les massacres et génocides à grande échelle. » Le mot interdit a fait son effet, il s'est fait exclure, trois séances. C'est évidemment complètement arbitraire, ce n'est même pas la première fois qu'il utilise ce mot dans l'hémicycle, mais là va savoir pourquoi, ça n'est pas passé. Je m'avise qu'à part lui, on n'entend pas trop parler d'Arméniens dans la répression en cours. *Agos* n'est pas particulièrement inquiété. Yetvart Danzikian, qui a pris la direction du journal après Hrant et après Etyen Mahçupyan (lequel n'a jamais caché sa sympathie pour Erdoğan, à l'époque où il incarnait l'option de la « démocratie musulmane »), me confirme qu'ils ne sont plus en première ligne – depuis la mort de Hrant, le pouvoir laisse *Agos* relativement tranquille. En 2017, c'est un symbole national certes, mais avant tout une gazette diffusée à quelques milliers d'exemplaires et qui a vocation à parler des affaires communautaires. Même si bien sûr nous sommes solidaires de nos confrères qui sont dans le viseur me dit prudemment Danzikian, sans aller plus loin. Je sais que Hrant n'aurait pas eu cette prudence, lui qui disait que « la présence et l'initiative sont d'autant plus nécessaires qu'il y a absence de dialogue ; si nous existons, c'est aujourd'hui qu'il nous faut *être là* » – mais Hrant est mort et personne ne veut plus mourir à sa place.

« Le sacro-saint dialogue promu ces dix dernières années est extrêmement sournois, corrige Ece Temelkuran, qui a retenu la leçon. On nous dit qu'il faut engager la conversation avec les gens de l'autre bord, les laisser s'exprimer, les comprendre. Mais le problème c'est que cet autre bord n'a aucune intention de parler avec nous. Alors à tous les coups, le dialogue se résume à ce qu'on doive les respecter. Je me demande plutôt si on ne devrait pas se comprendre nous-mêmes, se parler davantage entre nous d'abord – et par « nous » j'entends : les gens capables d'esprit critique. » Dans ce moment de crispation, cette essayiste renommée pour ses analyses politiques hésite à se réfugier dans la fiction, cherche d'autres langages pour ne pas rompre la conversation. « J'essaie d'être celle qui raconte l'histoire, sans prendre parti, mais dans son intégralité. Car si vous la racontez d'un seul point de vue, vous n'entendez plus l'autre et, plus grave, il ne vous entend plus. »

Berkin travaille pour ce nouveau média en ligne qui est devenu en quelques mois, à l'heure de l'effondrement de toutes les sources d'information traditionnelles, une référence du journalisme indépendant en Turquie. Ils ont installé leurs locaux dans un hangar d'un atroce quartier semi-récent, où l'autoroute slalome entre les tours et les bureaux couverts de publicités géantes, quand ce n'est pas de bannières électorales. Le rédacteur en chef, figure du journalisme d'investigation qui peine à récolter les lauriers qu'il mériterait pour avoir dénoncé parmi les premiers l'attelage explosif entre l'AKP et les gülénistes, me reçoit un peu froidement. Ras-le-bol du voyeurisme des Occidentaux, vous voulez savoir quoi, si on a des pressions ? La réponse est non. On fait notre boulot. Je ne suis pas et je ne veux pas être un soldat de la liberté d'expression, juste un journaliste, un bon journaliste qui a inventé un média unique au monde, un nouvel outil d'information adapté aux réseaux sociaux. Voilà ce qu'on fait ici et ce qui devrait vous intéresser, j'aimerais bien voir arriver des investisseurs au lieu du défilé quotidien de confrères étrangers qui demandent avec un brin d'orientalisme ce qu'ils peuvent faire pour nous aider ; nous n'avons pas besoin d'aide, à part financière. Berkin dit qu'il ne faut pas exagérer, le soutien international, même symbolique, ne fait pas de mal – tu es bien allé interviewer *Charlie Hebdo* après l'attentat de 2015. Ruşen passe au français – qu'il parle limpidement. S'il ne veut pas jouer le rôle que le monde attend de lui, il accepte en revanche volontiers de parler de celui qu'il n'ose plus appeler son ami – après sa mort trop de gens se sont prétendus ses amis de toujours, ses proches ; moi je m'en tiendrai à dire que nous nous connaissions et que je l'appréciais. Aussi terrible que cela puisse paraître, la mort de Hrant a ouvert une parenthèse qui aurait pu être une porte de salut pour la Turquie. Le pays a été bien obligé de discuter de certaines choses, d'apaiser les tensions. Cette parenthèse se referme sous nos yeux depuis quelques années, et très spectaculairement dernièrement, coinçant dans l'impasse tous ceux qui s'y étaient engouffrés, naïfs ou lucides ; mais c'est ainsi depuis longtemps, nous jouons au yo-yo avec le destin dans ce pays. Maintenant, quel est votre rôle là-dedans, à vous les Européens ?

Dans une interview filmée en 2005 par une télé française dans son bureau d'*Agos*, Hrant s'entretient avec Frédéric Mitterrand. Les murs sont encombrés de photos, et Mitterrand fait observer avec acuité qu'il compte deux photos d'Atatürk; étonnante ici, cette icône du nationalisme turc. Je crois voir dans l'œil de Hrant une once de malice, sous le sérieux que commande le côté polémique de la question. « J'ai choisi une photo d'Atatürk en intellectuel, c'est le côté de sa personnalité que je préfère, dit-il. Je l'ai mise moi-même, personne ne m'a forcé » – avec un mouvement des mains qui a l'air de dire que si on ne le croit pas il s'en fout. « La catastrophe arménienne a été enfouie sous les fondements de la République, et remettre en cause le récit de ce qui s'est passé, c'est attaquer l'identité turque, semble-t-il» (au moment de l'interview, en 2005, Hrant a déjà sur le dos deux procès pour insulte à l'identité nationale). Depuis les débuts de la République poursuit-il, il a toujours été difficile pour les peuples de vivre en Turquie, pas que pour les Arméniens : il énonce la litanie des difficultés vécues par les Alévis, les musulmans, les Kurdes, et en remet une couche sur l'Union européenne, c'est pour cela que nous voulons intégrer l'Union, nous avons ce désir de démocratisation. Pas seulement pour les Arméniens insiste-t-il en pesant ses mots et ouvrant les mains : pour nous tous. Frédéric Mitterrand insiste sur la question du mot « génocide », les mots sont importants assène-t-il – tentative de mettre au pied du mur son interlocuteur accueillie d'un haussement d'épaules – génocide, ou massacre ? Hrant renvoie dos à dos ceux qui veulent faire reconnaître le génocide depuis l'étranger, et ceux qui le nient en Turquie. « Les deux nuisent énormément aux populations qui vivent ici en Turquie, et aux Arméniens en général dont les drames sont utilisés à des fins politiques qui ne les concernent pas, qui ne règlent aucun problème, qui ne réparent aucun trauma. Nous ne devrions pas laisser faire cette instrumentalisation. »

Question finale de l'intervieweur : Êtes-vous seul ? Y a-t-il beaucoup de gens qui pensent comme vous ? Encore une fois, un mélange de gravité solennelle et de générosité dans la voix de Hrant qui articule mélodieusement un long mot de turc : « Je ne peux pas savoir. Mes idées sont sans doute un peu romantiques. Mais *inch'Allah*, à Dieu plaise que tous pensent comme moi. »

Meurs et nous t'aimerons, dit un adage populaire arménien. « Les mêmes qui lui trouvent aujourd'hui post mortem toutes les vertus de l'intellectuel courageux, et en font pourquoi pas le symbole de leur cause de toujours, n'étaient pas si enthousiastes quand il était en vie », écrit Jean Kehayan, en préface d'un livre de Hrant refusé de son vivant par son éditeur, dans lequel il ferme une fois pour toutes la porte à toute amertume : « Mes malédictions, je les adresse au passé. »

À la radio, Wajdi Mouawad raconte la légende d'un oiseau amphibie qui tourne au-dessus d'un lac. Fasciné par les poissons, l'oiseau plonge, il devrait se noyer mais il échappe à la mort, car son désir de l'autre, son empathie curieuse, est plus forte que les lois qui veulent que les oiseaux vivent dans l'air et les poissons dans l'eau. Je m'endors en écoutant l'émission, dans mon rêve des nuées d'oiseaux survolent un lac. Moi je fais la planche, je les suis du regard, ils me tournent autour ; je me réveille en sursaut en découvrant que l'immense cicatrice qui me barre le ventre s'est ouverte, mes entrailles dispersées dans la mer attirent les volatiles affamés.

Même côte à côte, les chemins les plus parallèles ne s'arrêtent pas tous en même temps. Sur un dessin de Reiser, *Le Pont des enfants perdus*, un personnage aux larges épaules tient par la main un enfant pour traverser le pont sur lequel il n'y aura pas la place pour plus d'un sillage. Aux traces de pas dans la neige derrière eux, on comprend que deux petits pieds sont déjà tombés dans l'abîme. Karin Karakaşlı raconte qu'un jour, quand les menaces de mort pleuvaient sur la tête de Hrant, elle s'est entendu dire que si elle ne souhaitait pas marcher à côté de lui dans la rue, elle n'était pas obligée.

La multinationale qui emploie Metin lui propose un poste à Londres – payé une misère, mais il accepte sans hésiter – et Ruqia se décide à rejoindre sa sœur, réfugiée en Allemagne avec ses enfants. L'appartement va être rendu au propriétaire, Metin me décourage de le garder, tu ne trouveras personne pour payer le loyer avec toi, les gens avec qui tu aimerais vivre sont tous en train de mettre les voiles. « Personne n'abandonne sans raison sa maison », déclarait le patriarche Bartholomeos au début des années 2000, regrettant la disparition quasi totale, après des décennies d'oppression, de la communauté grecque de Turquie. « Nous sommes fatigués de vivre au pays des colombes mortes », soupire Ece Temelkuran. Une amie journaliste me donne rendez-vous – ailleurs qu'au Muz, qui est pourtant son repaire habituel – elle me paraît nerveuse. Je crois qu'une fois que la peur s'est installée, il n'y a plus qu'à partir. Si je suis restée jusqu'à maintenant, c'est que j'ai un passeport bulgare, je savais que je pourrais partir quand j'en aurais assez. Sourire ironique, cruel, amer, il faudrait être aveugle pour ne pas voir qu'ils vont tout détruire. Et ce ne sera pas la première fois. Ici l'histoire est un éternel recommencement, on a la culture de la *tabula rasa* ; tout se reconstruit toujours sur le champ de ruines de l'ère précédente. Ils ne laisseront rien subsister de l'Istanbul que nous avons connue… Je ne sais que répondre.

Berkin les yeux verts, au bord de cette oasis poussent les cils longs et très noirs, il pourrait être intimidant de beauté s'il n'y avait cette bouche pulpeuse et au premier prétexte souriante, chaleureuse, tout en bienveillance. Je dis que mon permis de séjour est périmé, et que par les temps qui courent il vaut mieux ne pas avoir affaire aux flics. Berkin acquiesce. On continuera par e-mail. Il n'est pas inquiet, une fois le projet lancé, je peux t'envoyer les planches de dessins à mon rythme, on fera des allers-retours, ça va se faire. Il ne me retient pas, je lui fais remarquer. Il sourit franchement, tendrement, je ne vais pas te demander de rester pour moi quand même. J'en ai un peu marre de pleurer pour un rien et jamais quand il faudrait mais je sens que ça monte encore, je n'ose plus rien dire. Berkin me regarde. Ma biche, on aurait envie de te faire des câlins. Qu'est-ce que je peux faire pour toi. Tu veux de la MDMA ? Ah non, pitié. T'as tort, ça aide pas mal pour l'introspection. Avec des amis comme ça je ferais aussi bien de me pendre tout de suite, je dis – qui peut croire que j'ai besoin de davantage d'introspection. Berkin se lève, m'attrape le menton et m'embrasse sur la bouche, juste les lèvres, ça va aller. Une immense douceur m'envahit, me ramollit, me détend longtemps encore après son départ.

Qu'est-ce que c'est que cette tête ? Je m'en vais. Il sourit et récite en turc un vers de Cemal Süreya que tout le monde apprend à l'école, « Tu pars, et tes yeux alors ? » Je connais la réponse : « Ils partent aussi ». Et j'ai l'impression que la porte se referme derrière moi. Ça fait combien d'années qu'on se connaît, demande-t-il, tu es toujours revenue. Rire sincère devant ma mine désespérée, arrête ton char, Pocahontas, tu l'as choisie cette vie. Tu es comme Hrant maintenant, un pigeon inquiet. Tu vas faire un tour de piste et repasser par la case Istanbul, tu n'en as pas fini avec nous. Et si Istanbul est détruite ? Si Istanbul est détruite au moins tu n'auras pas fait tout ça pour rien – le livre. C'est vrai qu'au moins ces voix-là de la Turquie que j'aime ne parleront pas que dans ma tête. Et toi, tu feras quoi ? Il ne balaie pas la question, il y a déjà réfléchi. Pourquoi pas Beyrouth. Ou plus loin de tout ce merdier, Buenos Aires… J'ajoute Marseille. Il acquiesce pensivement. Marseille bien sûr, sauf que c'est Schengen. Mais en vérité, je ne crois pas qu'ils vont arriver à me dégoûter de cette ville.

Alors que je divague dans les rues de Cihangir pour une dernière promenade d'adieu, je croise Necmiye Alpay, marchant d'un air décidé, les mains arrimées aux bretelles de son sac à dos, en robe d'été – l'air d'une enfant sur le chemin de l'école. Je l'interpelle, la sors de ses pensées, elle hésite, je demande en français si elle me reconnaît et un immense sourire chaleureux, ravi, illumine son visage. Elle embraye en français, me complimente sur ma robe et moi sur la sienne, je pourrais lui parler de tout et de rien, ses yeux rieurs ne demandent que ça, mais elle est déjà en retard à son rendez-vous. Si vous n'insistez pas, dit-elle en hésitant, embarrassée de sa propre délicatesse, je devrais y aller. Je demande si elle va bien où je crois, au rassemblement des mères kurdes qui se tient au bout de la rue, chaque samedi; elle acquiesce en riant: Justement! Je lui souhaite de prendre des vacances, de partir à l'étranger peut-être, si on lui rend son passeport, bientôt? Elle répond plus sérieusement, je ne vois pas pourquoi je partirais. Je n'ai rien fait de mal. Je reste plantée là pendant qu'elle s'éclipse en trottinant.

Résonnent les mots d'Aslı, dans le *New Yorker* cette semaine : « Que ça vous plaise ou non : je suis la Turquie. Que vous l'acceptiez ou pas, nous les journalistes, les écrivains, sommes le langage et la conscience de ce pays. »

«Je chante, sans espoir, sur la frontière.» Le testament de Sarah Kane me trotte dans la tête sur le chemin de croix de l'aéroport. Mesures de sécurité renforcées à l'entrée du hall – où deux officiers de sécurité ont été abattus lors d'un attentat à la kalachnikov, il y a six mois à peine. C'est ici que le soir du coup d'État, Metin s'est caché avec son équipe de basket, alors qu'une femme terrifiée criait aux supporters d'Erdoğan *Halas, halas!* Ici aussi que le fils de notre vendeur de thé s'est fait arrêter, là la dernière fois qu'il a eu l'usage de son libre arbitre mais trop tard, mauvais choix, il ne reverra sans doute pas le hall de l'aéroport Atatürk avant quelques années de prison. Pas plus que tous ceux qui sont interdits de quitter le territoire et ceux, de plus en plus nombreux, qui sont bannis de Turquie. Je pense à la grand-mère de Fethiye Çetin, cachée sous une fausse identité pendant le génocide, qui aura passé toute sa vie sans passeport, n'osant jamais affronter l'administration pour demander des papiers. Hrant n'a eu son premier passeport que très tardivement, en 2001 – suspect d'appartenir à une organisation terroriste proarménienne, ou simplement en tant qu'Arménien, ou sans raison du tout, il a dû attendre quarante-huit ans avant d'obtenir l'autorisation de quitter la Turquie, quasiment au même moment où déferlaient les injonctions à la quitter maintenant ou jamais. Il écrivit alors ironiquement dans *Agos* un article intitulé « Il ne manquait plus que moi » : « S'il faut absolument trouver des raisons d'espérer [...], permettez-moi de vous faire part d'un progrès qui me touche personnellement [...] Pour des raisons que j'ignore, jusqu'à ce jour, je n'ai jamais pu obtenir un passeport [...] J'ai enfin obtenu satisfaction et l'injustice à mon égard a été réparée. Ne me demandez pas pourquoi cette bonne nouvelle ne figure pas dans les rapports de l'U.E. ! »

Il s'en est servi bien sûr. Il était invité à donner des conférences, aux États-Unis, en Europe, il était déjà une personnalité importante de la communauté arménienne, l'un des rares Arméniens de Turquie à s'exprimer haut et fort. Il était venu à Marseille, à l'invitation de Jean Kehayan, et il paraît que la rencontre avec la diaspora avait fait des étincelles. Méfiant, à la veille de son premier voyage, il s'était rendu à l'aéroport pour passer les contrôles. Juste pour voir si on le laisserait vraiment sortir du pays.

J'aurais peut-être dû faire pareil, car je me dirige vers la police des frontières en ayant l'impression de jouer à pile ou face. J'ai dans mon téléphone une liste de numéros à appeler en cas de problème, avocats, activistes, journalistes, organismes et associations qui aident les gens qui tombent dans les pattes de la paranoïa de l'État turc. Personne n'a été capable de me dire si je risquais effectivement quelque chose ; certains ont grimacé en voyant mon compte Twitter, merde t'aurais dû faire attention, les articles publiés çà et là sur des sites internet, pourquoi tu as signé de ton nom, certains estiment que de toute manière vu mes contacts je suis forcément surveillée, d'autres ont haussé les épaules, pensant que la police turque a d'autres priorités en ce moment et qu'au pire ils seront bien contents de me voir partir. Pour arranger mon cas, j'ai largement débordé mon permis de séjour sur le territoire, je ne risque donc pas de passer inaperçue. Ma chance c'est que depuis les purges massives chez les fonctionnaires, les douaniers sont en sous-effectif, et la plupart du temps débordés. Malgré l'affluence très réduite, il y a la queue au contrôle et ils essaient de ne pas cumuler trop de retard. Je me mets en rang derrière une famille avec deux petites filles, l'une d'elles chouine, le père déjà chargé la prend dans ses bras sans broncher. De dos, il ressemble à Naji Jerf, les cheveux, la carrure, les épaules en arrière. L'enfant satisfaite me regarde, par-dessus l'épaule apaisante de son père, la main agrippée au keffieh. Il y eut ici autrefois Hrant serrant contre lui son tout nouveau précieux passeport, prêt à le tendre au douanier. Il y eut Pınar Selek, Can Dündar, prenant le chemin de l'exil peut-être définitif, comprenant qu'il n'y aurait pas de justice pour eux en Turquie, seulement les cases prison, torture, assassinat peut-être. Naji lui n'a jamais mis les pieds ici. Je regarde machinalement mes pieds, le lino poisseux. Je pense aux locaux de *Charlie Hebdo* inondés du sang des copains, ça fait longtemps que je n'avais pas pensé à ça. L'insoutenable sillon. D'autres voyageurs s'accumulent à ma suite, toutes origines, des Anatoliens, des fantômes noirs du Golfe, des Asiatiques. Les femmes en tchador soulèvent mécaniquement leur voile sous l'œil indifférent des policiers qui leur demandent de recommencer quand ils n'ont pas eu le temps de bien les voir. On reconnaît tout de suite les hommes qui viennent en Turquie se faire poser des implants capillaires, parce qu'ici c'est moins cher, ils ont l'air d'avoir été littéralement scalpés, le crâne à vif. C'est le tour de Naji qui s'avance avec ses enfants et des bagages plein les bras. Il a apparemment ses papiers en règle, il ne semble pas stressé, l'enfant dans ses bras ne me quitte pas du regard, le douanier les laisse passer sans question.

À moi de jouer. Le contrôleur blasé regarde ma photo, les tampons, hausse les sourcils, scanne le passeport, consulte l'écran, décroche le téléphone, dit à un collègue qu'il lui envoie une Française, raccroche, m'indique le poste de police. J'envoie un message à Ruqia : Bingo, je suis chez les flics. Je choisis de m'adresser à l'agent qui m'a l'air le plus sympathique, je fais comme si tout était normal, je dépose mes sacs avant de lui tendre mon passeport, le téléphone à la main où s'empilent les messages de Ruqia alarmée. Je vois le flic scanner à nouveau le passeport et imprimer la somme de mes séjours sur le territoire, je réponds à Ruqia que c'est rien, juste le visa. L'agent demande ce que je fabrique en Turquie. Du tourisme – j'essaie de le dire sans insolence, mais il relève, ça fait un an et demi que vous faites du tourisme ? Je rectifie, je suis amoureuse. D'Istanbul. Perplexité. Il demande où je vivais, pourquoi dans ce quartier, combien je paye de loyer. Ce que je fais de mes journées. Du yoga, je réponds, je fais du yoga. J'espère qu'il ne va pas penser que je le prends pour un imbécile. Il me colle une amende, et me dit que si je ne veux pas payer, je serai bannie du territoire – est-ce que ça m'intéresse ? Je vois toute ma vie défiler, je fais non, non de la tête. Il a l'air encore plus perplexe en me tendant la facture alors.

Je repasse au contrôle précédent, cette fois tout est en règle et je suis officiellement sortie, il ne me reste plus qu'à crever de nostalgie. La voix d'Aslı me bourdonne aux oreilles, elle qui prendrait le chemin de l'exil quelques semaines plus tard: «J'ai beau être partie, la ville des mouettes et des bateaux du Bosphore continue bien évidemment, quelque part sur terre, de vivre, grandir et mourir». À la porte d'embarquement je retrouve Naji et ses enfants, la petite endormie dans ses bras, la plus grande qui joue sous les sièges de la salle d'attente. Il prend l'avion pour Marseille lui aussi, finalement. Je m'assois sur mon sac pas loin et je les dévore des yeux, cette famille qui attend d'embarquer, j'enfile mes écouteurs pour assourdir le bruit des vivants et d'outre-tombe, du Vercors, du fond des criques, Bashung chante «j'ai dans les bottes des montagnes de questions, où subsiste encore ton écho».

Dear future, I am ready.

REMERCIEMENTS

Ce livre n'aurait pas pu s'écrire sans la chaîne de solidarité formée au fil des mois pour m'entourer, me guider et souvent m'héberger, de Marseille à Istanbul, Ankara, Fethiye, Antep, Urfa... Ils ont inspiré la plupart des personnages de cette histoire qui est la leur : Merve, Muhammad et les *professional quiters* Derya, Melike, Nadia, Zeynep, Helena ; à Kadıköy, les *Recaizadeliler* Julie, Korhan, Kat, Marsel, Zeki, Mazo, Melih, Aline, Sasha ; de bar en bières, Selin, Ozan, Anne, Beril, Quentin, Fiona, Daphné, Wendy, Emmanuelle, Laurent, Serena, Lülü ; chez Mehmet, Alexandre, Javier, Princess, Nilay, Adar, Erdal et Aslı ; merci à Patrick pour la hot-line, à Laurent et Pascal pour l'hospitalité hydriote ; aux Marseillais, Léo, Manu (et Mona), Joanne, Laure, Yamina, Emmanuel (et Baby Jacob), les sorcières hystériques Marie, Cath et J.P. ; Daniel et Daniela ; Isabric et les Mougenettes ; et la *dream team* d'Aponia, les f... Mehtap, Efe, Ozan, Liudmyla, Fatih.

Que toutes les personnes sollicitées pour parler de Hrant, dont malheureusement dans le climat actuel il serait maladroit de faire ici la liste, reçoivent l'expression de ma plus sincère gratitude pour leur constante bienveillance à mon égard, et l'espoir de n'avoir pas trahi leur confiance. Que Mehmet Atak, *çok değer verdiğim arkadaşım*, Jean Kehayan, Cengiz Aktar et Necmiye Alpay qui ont eu la gentillesse de me relire, soient tout particulièrement remerciés.

Le Sillon est dédié à ceux dont l'absence et le souvenir résonnent entre ces lignes.

RÉFÉRENCES

Alpay, Necmiye
http://necmiyealpay.blogspot.fr
– « Was Hrant Dink an "enemy of the Turk"? », 2010
– « Les femmes poètes françaises, ou le cœur, la rose, le temps et le miroir », 1994

Altan, Ahmet
– *L'Amour au temps des révoltes*, traduit par Alfred Depeyrat, Arles, Actes Sud, 2008
– « De l'acte d'accusation comme pornographie judiciaire », traduit par Kedistan, juillet 2017 http ://www.kedistan.net/2017/07/05/ahmet-altan-acte-accusation-pornographie-judiciaire/

Çandar, Tuba
– *Hrant Dink : An Armenian Voice of the Voiceless in Turkey*, traduit par Maureen Freely, New Brunswick - Londres, Transaction Publishers, 2016

C.E.D.H.
– Affaire Dink contre la Turquie, en partic. « Opinion concordante de M. le juge Sajó à laquelle Mme la juge Tsotsoria déclare se rallier », arrêt 14 septembre 2010, Strasbourg, http ://hudoc.echr.coe.int/eng?i=001-100383/

Çetin, Fethiye
– *Le Livre de ma grand-mère*, traduit par Marguerite Demird, Marseille, Parenthèses, 2013

Copeaux, Étienne,
– susam-sokak.fr, en partic. « Les colombes inquiètes », 27 juin 2012, http ://www.susam-sokak.fr/article-les-colombes-inquietes-107489073.html

Demirhisar, Deniz Günce
– « Emotion and protest in Turkey : what happened on 19 January, 2007 ? », https ://opendemocracy.net/deniz-g-nce-demirhisar/emotion-and-protest-in-turkey-what-happened-on-19-january-2007

Dink, Hrant
– *Chroniques d'un journaliste assassiné*, textes rassemblés par Günter Seufert, traduits par Haldun Bayrı et Marie-Michèle Martinet, introduction de Karin Karakaşlı traduite par Bernard Banoun, Paris, Galaade, 2010
– *Deux peuples proches, deux voisins lointains. Arménie-Turquie*, ouverture d'Etyen Mahçupyan, préface de Jean Kehayan, traduit par Emre Ülker et Dominique Eddé avec une note sur la traduction, Arles, Actes Sud, 2008
– Interview avec Frédéric Mitterrand pour TV5, https://www.youtube.com/watch?v=egHdDe6PKLQ

Erdoğan, Asli
– *Le silence même n'est plus à toi*, traduit par Julien Lapeyre de Cabanes, Arles, Actes Sud, 2017
– *Le Mandarin miraculeux*, traduit par Jean Descat, Arles, Actes Sud, 2006 (2001)
– « Nous avons laissé derrière nous une trace profonde, invisible », article paru dans *Radikal*, traduit sur le site Babelmed.net, 1er février 2007, www.babelmed.net/
– lettres de prison, www.kedistan.net/category/eclairages/dossier-special-asli-erdogan, décembre 2016

Günday, Hakan
– *Encore*, traduit par Jean Descat, Paris, Galaade, 2015

Jerf, Naji
– *ISIL in Aleppo*, sous-titré par FreeSyrianTranslator, https://www.youtube.com/watch?v=TE2kx0Wea34&t=11s
– chaîne YouTube, https://www.youtube.com/channel/UCJ2t3qWMTsFZ_BcaNh-8Ghg

Kehayan, Jean
– *Mes papiers d'Anatolie*, La Tour-d'Aigues, Éditions de l'Aube, 2006
– *L'Apatrie*, Marseille, Parenthèses, 2000

Kemal, Yaşar
– *Alors, les oiseaux sont partis…*, traduit par Münevver Andaç, Paris, Gallimard, 2010 (1983)

Paylan, Garo
– déclaration au Parlement, HDP Europe, http:// fr.hdpeurope.com/?p=3872

Şafak, Elif
– *La Bâtarde d'Istanbul*, traduit par Aline Azoulay-Pacvon, préface d'Amin Maalouf, Paris, Phébus, 2007

Selek, Pinar
– *Parce qu'ils sont arméniens*, traduit par Ali Terzioğlu, Paris, Liana Lévi, 2015
– *Verte et les oiseaux*, traduit par Lucie Lavoisier, illustré par Elvire Reboulet, Sainte-Jalle, Éditions des Lisières, 2017

Soysal, Ahmet
– « Prononcer aujourd'hui le très ancien nom », *Critique*, numéro 543-544, août-septembre 1992, « Byzance - Istanbul », pour les traductions des poèmes pages 82 à 84.

Temelkuran, Ece
– *Turkey: the Insane and the Melancholy*, traduit par Zeynep Beler, Londres, Zed Books, 2016
– *Deep Mountain. Across the Turkish-Armenian Divide*, traduit par Kenneth Dakan, Londres-New York, Verso, 2010
– « Truth is a lost game in Turkey », *The Guardian*, 15 décembre 2017, https:// www.theguardian.com/ commentisfree/2016/dec/15/ truth-lost-game-turkey-europe-america-facts-values
– Sur le mot *génocide*: https://www.youtube.com/ watch?v=6TrzS7BQsPY

Uyurkulak, Murat
– *TOL*, traduit par Jean Descat, Paris, Galaade, 2010 (2002)

Troisième impression.
Groupe Laballery
Imprimé sur Roto-Page par l'Imprimerie Floch
à Mayenne au mois de novembre 2018
Merci à eux
Numéro d'imprimeur : 811071
Isbn : 978-2-37055-167-2
www.le-tripode.net